KB207300

면접관의 마음을 사로잡는 전략과 팁

자기소개서, 이렇게 쓰면 취업한다!

유미화 지음

자기소개서, 이렇게 쓰면 취업한다!

발 행 | 2024년 11월 5일
저 자 | 유미화
펴낸이 | 한건희
펴낸곳 | 주식회사 부크크
출판사등록 | 2014.07.15(제2014-16호)
주 소 | 서울특별시 금천구 가산디지털1로 119 SK트윈타워 A동 305호
전 화 | 1670-8316
이메일 | info@bookk.co.kr

ISBN | 979-11-419-1269-7

www.bookk.co.kr

본 책은 저작자의 지적 재산으로서 무단 전재와 복제를 금합니다.

면접관의 마음을 사로잡는 전략과 팁

자기소개서, 이렇게 쓰면 취업한다!

유미화 지음

CONTENT

면접관의 시선을 사로잡는 자기소개서: 신입과 경력자의 차이점

자기소개는 면접에서 첫인상을 형성하는 중요한 요소입니다. 면접관의 주의를 사로잡고 기억에 남게 하기 위해서는 몇 가지 핵심 요소를 고려해야 합니다.

첫째, 1분 자기소개가 매우 중요합니다. 면접관들은 시간이 제한되어 있기 때문에 취준생들은 간결하고 효과적으로 자신을 소개할 수 있는 능력을 갖추어야 합니다. 1분 동안 자신의 핵심 강점과 경험을 간단하게 소개하면서 면접관의 관심을 확실히 사로잡을 수 있어야 합니다.

신입

신입으로서 자기소개를 할 때는 핵심적인 경험과 역량을

간결하게 어필하는 것이 중요합니다.

"안녕하세요, 저는 컴퓨터 공학을 전공하고 소프트웨어 개발 프로젝트에 참여하여 팀원들과 협력하여 성공적으로 완료한 경험이 있습니다. 대학 시절에는 다양한 소프트웨어 개발 프로젝트에 참여하여 알고리즘, 데이터 구조, 프로그래밍 언어 등의 이론을 실제로 적용해보았습니다. 특히, 인턴십을 통해 웹 개발 및 데이터베이스 관리에 대한 경험을 쌓았으며, 이를 통해 실무에서의 문제 해결 능력을 향상시켰습니다. 회사에 입사하여 열정적으로 성장하고 싶은 이유는, 제가 가진 기술적인 역량과 경험을 바탕으로 회사의 성장과 발전에 기여하고 싶습니다.

경력자

경력자로서 자기소개를 할 때는 이전의 주요 업적과 성과를 강조하는 것이 중요합니다.

"안녕하세요, 저는 IT분야에서 5년간의 경력을 가지고 있는 김철수입니다. 이전 회사에서는 프로젝트 매니저로서 다양한 소프트웨어 개발 프로젝트를 성공적으로 이끌었습니다. 특히,

A 프로젝트에서는 기존 시스템을 리뉴얼하여 효율성을 대폭 향상시키는 데 성공하였고, B 프로젝트에서는 팀을 이끌어 새로운 제품 출시를 성공적으로 이끌었습니다. 제 강점은 문제 해결 능력과 리더십입니다. 새로운 회사에서 일하게 된다면, 제 경험과 역량을 바탕으로 회사의 프로젝트에 적극적으로 기여하고 싶습니다."

이렇게 간결하고 핵심적인 내용을 포함하는 자기소개는 1분 동안 면접관의 관심을 확실히 사로잡을 수 있습니다. 자신의 경험과 역량을 강조하며, 회사에 기여할 의지와 열정을 보여주는 것이 중요합니다.

둘째, 적극성과 장점을 강조하는 자기소개가 필요합니다. 면접관들은 적극적이고 열정적인 인재를 찾는 경향이 있습니다. 따라서, 자기소개에서 자신의 적극성과 장점을 강조하여 면접관의 마음을 움직일 수 있도록 해야 합니다. 이를 통해 면접관에게 자신의 가치를 전달하고, 면접에서 긍정적인 인상을 남길 수 있습니다.

신입

"저는 항상 새로운 도전에 적극적으로 임하는 성격입니다. 대학 시절에는 자발적으로 학술 동아리에 참여하여 리더십을 발휘하고, 동아리 내에서 주도적으로 프로젝트를 기획하고 실행하는 경험을 했습니다. 또한, 인턴십에서는 새로운 기술과 도구를 학습하고 이를 실제 업무에 적용하는 것에 적극적으로 참여했습니다. 제 강점은 문제 해결능력과 빠른 학습력인데, 이를 통해 회사에 가치를 제공하고자 합니다."

경력자

"저는 회사생활을 하면서 항상 적극적으로 새로운 도전을 해왔습니다. 이전 회사에서는 주어진 프로젝트에 열정을 가지고 참여하여 성과를 내는 데 기여했습니다. 또한, 팀의 일원으로서 동료들과의 협업을 적극적으로 추구하고, 프로젝트의 목표를 달성하기 위해 다양한 아이디어를 제시하고 구현했습니다. 제 강점은 커뮤니케이션 및 리더십 능력인데, 이를 통해 팀의 협업과 성과를 향상시킬 수 있다고 자신 있게 말씀드립니다."

이렇게 적극성과 장점을 강조하는 자기소개는 면접관에게 자신의 가치를 전달하고 긍정적인 인상을 남길 수 있는 좋은 방법입니다. 자신의 경험과 성과를 강조하며, 회사에 대한 열정과 기여 의지를 보여줄 수 있도록 주의해주세요.

셋째, 최근 트렌드에 따라 자기소개에는 강점을 중심으로 어필하는 것이 유용합니다. 면접관들은 합격자가 해당 직무에 얼마나 도움을 줄 수 있는지에 관심을 가지고 있습니다. 따라서, 자기소개에서는 자신의 강점과 이를 통해 어떻게 기여할 수 있는지를 강조해야 합니다. 이를 통해 면접관들에게 자신의 역량과 가치를 명확하게 전달할 수 있습니다.

신입

"저는 분석적인 사고력과 문제 해결능력이 제 강점입니다. 대학 시절에는 수학과 통계학을 전공하며 데이터 분석에 대한 기초를 다졌고, 프로젝트를 통해 실제 데이터를 분석하고 문제를 해결하는 경험을 쌓았습니다. 또한, 컴퓨터 기술에도 능통하며 Python과 R을 활용하여 데이터를 처리하고 시각화하는 등의 작업을 수행할 수 있습니다. 이러한 강점을 활용하여 회사의 데이터 분석 업무에 기여하고 싶습니다."

경력자

"저는 다양한 실무 경험을 통해 깊은 업무 지식과 노하우를 갖추었습니다. 특히 프로젝트 관리와 리더십 능력이 제 강점입니다. 이전 회사에서는 다양한 프로젝트를 성공적으로 수행하면서 팀원들을 효과적으로 조율하고 목표를 달성하는 데 기여했습니다. 또한, 전략적인 사고와 문제 해결능력을 활용하여 업무 프로세스를 개선하고 효율성을 극대화했습니다. 이러한 강점을 바탕으로 회사의 프로젝트 관리와 성과 달성에 기여하고 싶습니다."

이렇게 강점을 중심으로 어필하는 자기소개는 면접관들에게 자신의 역량과 가치를 명확하게 전달할 수 있는 좋은 방법입니다. 자신의 경험과 기술을 강조하며, 회사에 어떻게 기여할 수 있는지를 확실히 어필해주세요.

결론적으로 면접관을 사로잡는 자기소개란, 면접에서의 첫인상을 형성하고 면접관의 관심을 최대한 끌어내는 것입니다. 1분 자기소개를 통해 간결하고 효과적으로 자신을 소개하며, 적극성과 장점을 강조하여 면접관의 마음을 움직일 수 있도록 해야 합니다.

자신감과 열정으로 가득한 솔직한 자기소개는 면접관에게 강한 인상을 남기고, 면접의 성공을 위한 첫걸음이 될 수 있습니다. 자신의 강점을 어필하고, 면접관의 관심을 끌 수 있는 자기소개로 면접에서 좋은 결과를 얻으시길 바랍니다.

면접에서 나를 돋보이게 하는 자기소개: 유형별 전략과 팁

면접에서 1분 자기소개를 할 때 유형별로 구체적인 예시와 함께 설명해드리겠습니다. 각 유형에 따라 적절한 자기소개 방법을 활용하여 인상적인 자기소개를 할 수 있습니다.

경력 관련 면접

만약 경력 관련 면접이라면, 자신의 경력을 간결하게 요약하고 핵심 업적을 강조하는 것이 중요합니다.

"안녕하세요, 저는 5년간 글로벌 기업에서 마케팅 매니저로 근무한 경력을 가지고 있는 A라고 합니다. 제 경력 중에서 가장 자랑스러운 업적은 XX 프로젝트를 성공적으로 이끌어낸 것입니다. 이 프로젝트에서 제가 맡은 역할은 XX였고,

결과적으로 XX%의 매출 증가와 XX%의 고객 만족도 향상을 이끌어 내었습니다. 이러한 경험을 통해 전략적인 마케팅 능력과 팀워크를 발휘할 수 있음을 입증해 드리겠습니다."

A님의 직무 경험을 더욱 구체적으로 설명하기 위해, XX 프로젝트에서 어떻게 성공적으로 이끌어냈는지 구체적인 방법에 대해 알려드리겠습니다.

1. 전략적인 마케팅 계획 수립

프로젝트 시작 시, 제가 맡은 역할은 전략적인 마케팅 계획 수립이었습니다. 제품의 목표 시장을 정의하고 해당 시장에 맞는 마케팅 전략을 개발하였습니다. 이를 위해 시장 조사와 경쟁사 분석을 실시하여 제품의 경쟁력을 강화하고 효과적인 마케팅 전략을 수립했습니다.

2. 팀원들과의 효과적인 협업

프로젝트 진행 도중, 다양한 부서와의 협업이 필요했습니다. 제가 소속된 마케팅 팀뿐만 아니라, 영업팀, 제품 개발팀, 디자인팀 등과 긴밀한 협업을 통해 프로젝트 목표를 달성하기 위한 전략을 함께 수립하고 실행했습니다. 팀원들과의 원활한 커뮤니케이션과 효율적인 업무 분담을 통해 프로젝트 진행 속도와 품질을 높였습니다.

3. 결과적인 성과 달성

제가 이끈 XX 프로젝트는 결과적으로 XX%의 매출 증가와 XX%의 고객 만족도 향상을 이룩했습니다. 이를 위해 마케팅 전략의 실행과 모니터링에 주력하였고, 데이터 기반의 분석을 통해 전략을 조정하고 개선했습니다. 또한, 프로젝트 결과를 팀원들과 공유하고 피드백을 주고받는 과정에서 지속적인 성장과 개선을 이끌어냈습니다.

이와 같은 방법으로 제가 XX 프로젝트를 성공적으로 이끌어냈습니다. 전략적인 마케팅 능력과 팀워크를 발휘하여 프로젝트 목표를 달성하고 결과를 도출하는 데 기여했습니다. 이러한 경험을 통해 A님의 업적과 역량을 면접관에게 효과적으로 전달할 수 있을 것입니다.

신입 관련 면접

신입 관련 면접이라면, 자신의 학업이나 인턴 경험, 프로젝트 등을 중심으로 소개할 수 있습니다.

"안녕하세요, 마케팅에 대한 열정을 가진 경영학 전공자 B라고 합니다. 저는 대학 시절에 마케팅 동아리에서 활동하면서 다양한 프로젝트를 경험하였고, 이를 통해 마케팅 전략 수립과 데이터 분석 등의 역량을 키웠습니다. 또한, C 회사에서의 인턴 경험을 통해 실무적인 업무에도 익숙해졌습니다. 이러한 학업과 경험을 토대로 빠르게 배우고 성장할 수 있는 열정과 능력을 가지고 있습니다."

B님의 학업과 인턴 경험을 더욱 구체적으로 설명하기 위해, 마케팅 동아리에서의 프로젝트 경험과 C 회사에서의 인턴 경험에 대해 구체적으로 알려드리겠습니다.

1. 마케팅 동아리 프로젝트

대학 시절에 제가 소속된 마케팅 동아리에서 다양한 프로젝트를 경험했습니다. 이 중에서 특히 XX 프로젝트는 제가 주도적으로 참여하고 이끌었던 프로젝트였습니다. 해당 프로젝트에서는 제품의 타겟 시장을 분석하고, 소비자 행동을 이해하기 위해 조사와 데이터 분석을 진행했습니다. 이를 토대로 제품의 마케팅 전략을 개발하고, 효과적인 마케팅 캠페인을 기획하여 성공적인 결과를 도출했습니다.

2. C 회사 인턴 경험

C 회사에서의 인턴 경험을 통해 실무적인 업무에 대한 이해와 경험을 쌓았습니다. 제가 맡은 역할은 마케팅 팀에서

데이터 분석 및 리서치 업무였습니다. 제가 수집한 데이터를 분석하여 시장 동향을 파악하고, 경쟁사 분석을 통해 기회와 도전을 도출했습니다. 또한, 마케팅 전략 수립에 참여하고, 효과적인 콘텐츠 제작과 디지털 마케팅 활동을 지원했습니다. 이를 통해 실무적인 마케팅 역량을 발전시키고, 팀원들과의 협업을 통해 프로젝트를 성공적으로 완수했습니다.

이러한 학업과 인턴 경험을 통해 B님은 마케팅 전략 수립, 데이터 분석, 팀워크 등의 역량을 갖추었습니다. 이러한 경험을 통해 빠른 학습과 성장을 할 수 있는 열정과 능력을 입증할 수 있습니다.

개인 역량 면접

개인 역량 관련 면접이라면, 자신의 성격, 리더십, 문제 해결능력 등을 강조할 수 있습니다.

"안녕하세요, 저는 활발하고 긍정적인 성격을 가진 C라고 합니다. 항상 새로운 도전을 두려워하지 않고 적극적으로 접근하는 편입니다. 또한, 이전 회사에서의 경험을 통해 문제해결능력을 강화하였습니다. 어려운 상황에서도 냉정하게 상황을 분석하고 창의적인 해결책을 도출하여 팀과 함께 목표를 달성한 경험이 있습니다. 이러한 성격과 역량을 바탕으로 새로운 환경에서도 능동적으로 참여하고 성과를 창출할 수 있을 것입니다."

C님의 개인 역량을 더욱 구체적으로 설명하기 위해, 성격, 리더십, 그리고 문제 해결능력에 대해 알려드리겠습니다.

1. 성격

저는 활발하고 긍정적인 성격을 갖고 있습니다. 어떤 상황에서도 낙관적으로 접근하며, 새로운 도전을 두려워하지 않는 편입니다. 이러한 성격은 팀원들과의 원활한 커뮤니케이션과 협업을 도와주고, 긍정적인 분위기를 조성하는 데에도 도움이 됩니다. 또한, 적극적으로 학습하고 개선하려는 자세를 가지고 있어, 지속적인 성장과 발전을 추구합니다.

2. 리더십

이전 회사에서의 경험을 통해 리더십 능력을 강화하였습니다. 어려운 상황에서도 냉정하게 상황을 분석하고, 팀원들을 이끌어 목표 달성에 도움을 주었습니다. 효율적인 업무 분배와 역할 설정을 통해 팀원들의 역량을 최대한 발휘하도록 지원하였고, 동시에 팀원들 간의 협력과 소통을 촉진하는 역할을 수행하였습니다. 리더십을 발휘함으로써 팀원들의 동기부여와 성과 향상을 이끌어 냈습니다.

3. 문제 해결능력

어려운 상황에서도 냉정하게 상황을 분석하고, 창의적인 문제 해결책을 도출하기 위해 노력합니다. 이전에 직면한 문제들 중 하나는 XX 문제였습니다. 해당 문제에 대해 저는 주변의 의견을 수렴하고, 다양한 관점에서 문제를 바라보며 해결책을 모색했습니다. 팀원들과 함께 아이디어를 나누고 협력하여 새로운 접근 방식을 도출하였고, 이를 통해 문제를 성공적으로 해결했습니다.

이러한 성격, 리더십, 그리고 문제 해결능력을 바탕으로 C님은 새로운 환경에서도 능동적으로 참여하고 성과를 창출할 수 있는 역량을 가지고 있음을 어필할 수 있습니다.

이처럼 면접 유형별로 자기소개를 할 때, 해당 유형에 맞는 예시를 활용하여 자신의 강점과 경험을 간결하게 소개하는 것이 중요합니다. 그리고 자기소개를 준비할 때는 핵심 메시지를 명확히 정리하고, 면접 질문에 따라 맞춤형으로 준비하는 것이 좋습니다.

면접에 합격하는 5가지 필수 마인드셋

면접은 회사와의 첫 만남이자, 자신의 역량을 어필할 수 있는 중요한 기회입니다. 면접에서 합격하기 위해서는 어떤 마인드를 가지고 있어야 할까요? 다음은 면접에서 합격하는 지원자 마인드 5가지입니다.

1. 적극적인 태도

면접에서 적극적인 태도를 보이는 것이 중요합니다. 질문을 받았을 때, 자신의 역량을 잘 어필할 수 있는 구체적인 예를 들어 대답하고, 면접관의 질문에 적극적으로 대응하는 것이 좋습니다. 예를 들어, "저는 이전 회사에서 프로젝트를 성공적으로 수행한 경험이 있습니다. 이 경험을 바탕으로, 회사의 프로젝트를 성공적으로 수행할 수 있습니다."

2. 회사에 대한 이해

면접에서 회사의 비전, 가치, 제품, 서비스 등을 미리 파악하고, 이를 바탕으로 자신의 역량과 경험이 회사와 어떻게 부합하는지 설명하는 것이 좋습니다. 예를 들어, "저는 이 회사의 비전과 가치에 공감하여 지원했습니다. 제가 가진 역량과 경험을 바탕으로, 회사의 성장과 발전에 기여할 수 있습니다."

3. 자신감

면접에서 자신감을 보이는 것이 중요합니다. 자신의 역량을 잘 어필하고, 면접관의 질문에 적극적으로 대응하는 것이 좋습니다. 예를 들어, "저는 문제 해결 능력이 뛰어나고, 빠른 학습 능력을 가지고 있습니다. 이러한 강점을 바탕으로, 회사의 문제를 해결하고 새로운 아이디어를 제시할 수 있습니다."

4. 커뮤니케이션 능력

면접에서 커뮤니케이션 능력을 보이는 것이 중요합니다. 면접관과 원활한 대화를 이어나가며, 자신의 생각과 의견을 명확하게 전달하는 것이 좋습니다. 예를 들어, "저는 팀원들과 원활한 대화를 통해, 팀의 목표를 달성하는 데 기여했습니다. 이러한 경험을 바탕으로, 회사의 팀원들과 원활한 대화를 이어나가며, 팀의 목표를 달성할 수 있습니다."

5. 긍정적인 태도

면접에서 긍정적인 태도를 보이는 것이 중요합니다. 자신의 역량과 경험을 어필하면서도, 겸손한 태도를 유지하는 것이 좋습니다. 예를 들어, "저는 [구체적인 프로젝트 또는 상황]을 성공적으로 수행한 경험이 있습니다. 이 경험을 통해 [OO회사]의 [구체적인 프로젝트 또는 상황]을 성공적으로 수행할 수 있을 것입니다. 또한, 제가 가진 [관련 기술 또는 역량]을 활용하여 [OO회사]의 [구체적인 프로젝트 또는 상황]을 개선하는 데 기여할 수 있을 것입니다."

위의 5가지 마인드를 면접에서 적극 활용하여, 자신의 역량을 어필하고, 면접관과 원활한 대화를 이어나가는 것이 중요합니다. 면접에서 합격하는 지원자 마인드를 가지고, 좋은 결과를 얻으시길 바랍니다.

구체적 사례

면접자 (J): 안녕하세요, 저는 J입니다. 면접 기회를 주셔서 감사합니다.

면접관 (I): 안녕하세요, J님. 이전 회사에서 어떤 일을 하셨나요? 그리고 저희 회사에 지원한 이유는요?

J: 네, 저는 마케팅 및 광고 전문가로 일했습니다. 다양한 캠페인을 기획하고 실행하는 경험을 갖고 있어요. 이 회사에서 일하고 싶은 이유는 제품과 서비스의 품질에 대해 관심을 갖고 있기 때문입니다. 실제로 이 회사의 제품을 사용해보고 그 효과에 감명받았어요.

I: 그렇군요. J님이 이 회사에서 어떤 역할을 맡고 싶은지 알려주실 수 있을까요?

J: 네, 저는 마케팅 전략 개발과 디지털 마케팅에 관심이 많습니다. OO회사에서 제 전문성을 바탕으로 제품과 서비스를 더욱 널리 알리고 고객들과의 관계를 강화할 수 있을 것

같습니다.

I: 좋은 접근 방식이네요. 그럼 J님이 이전 직장에서 예상치 못한 상황에 대처한 경험에 대해 이야기해주실 수 있을까요?

J: 네, 이전에 기획한 마케팅 캠페인 중 한 가지가 예상치 못한 문제로 인해 실패한 경험이 있습니다. 하지만 저는 팀원들과 협력하여 캠페인의 문제점을 분석하고 개선 방안을 찾아냈습니다. 이를 통해 캠페인을 효과적으로 수정하고 좋은 결과를 얻을 수 있었습니다.

I: 멋진 대응이었네요. 마지막으로, J님이 이 회사에 대한 관심과 열정을 어떻게 나타낼 수 있을지 말씀해주실 수 있을까요?

J: 이 회사에 대한 제 열정은 지난 [기간] 동안 [회사 제품 또는 서비스]를 사용하면서 더욱 커졌습니다. 저는 [회사 제품 또는 서비스]의 [긍정적인 특징]을 경험하면서, OO회사가 사용자들에게 제공하는 가치와 혜택을 직접 느낄 수 있었습니다. 그래서 입사하게 된다면, 제 열정과 창의력을 바탕으로 회사의 성장과 발전에 기여하고 싶습니다.

I: J님의 열정과 자신감이 느껴지네요. 면접에서 좋은 모습을 보여주셨습니다. 감사합니다.

J: 감사합니다. 면접 기회를 주셔서 다시 한 번 감사드립니다.

이런 식으로 면접자와 면접관은 대화에서 서로의 의견을 나누며, 면접자의 경험과 마인드셋을 파악하고 평가합니다. 면접자는 자신의 역량과 경험을 자신감 있게 언급하고, 회사에 대한 관심과 열정을 보여주며, 예상치 못한 상황에 대처한 경험을 구체적으로 설명함으로써 면접관에게 긍정적인 인상을 줄 수 있습니다.

인성면접에서 좋은 인상을 남기는 3가지 핵심 전략

인성면접은 지원자의 인성과 인격, 대인관계 등을 평가하는 면접입니다. 이는 지원자의 인성과 역량을 평가하는 중요한 단계이며, 이를 통해 조직과 직무에 적합한 인재를 선발할 수 있습니다. 인성면접에서 좋은 인상을 남길 수 있는 방법에 대해 알아보겠습니다.

인성면접에서 좋은 인상을 남기기 위해서는 적극적으로 대화를 이끌어내고, 자신의 인성과 역량을 잘 어필해야 합니다.

1. 자신의 인성과 인격 어필

인성면접에서는 자신의 인성과 인격에 대한 질문이 많이 나옵니다. 이때, 자신의 경험과 생각을 바탕으로 솔직하고 겸손하게 대답하는 것이 중요합니다. 자신의 강점과 약점을 파악하고, 이를 바탕으로 어떻게 발전해 나갈 것인지에 대한 계획을 명확하게 설명해야 합니다.

예를 들어, "자신의 강점과 약점은 무엇인가요?"라는 질문이 나왔을 때, 다음과 같이 대답할 수 있습니다.

"제 강점은 책임감과 성실함입니다. 제가 맡은 일에 대해서는 끝까지 책임지고, 최선을 다하는 성격입니다. 또한, 제가 맡은 일에 대해서는 꼼꼼하게 처리하고, 실수를 최소화하기 위해 노력합니다. 하지만, 제 약점은 새로운 것에 대한 도전을 주저하는 것입니다. 새로운 일에 대해서는 두려움과 불안감이 앞서기 때문에, 도전을 주저하는 경향이 있습니다. 하지만, 이러한 약점을 극복하기 위해서 새로운 일에 대해서는 미리 준비하고, 충분한 정보를 수집하여 도전하고 있습니다. 이러한 노력 덕분에 새로운 일에 대해서도 자신감을 가지고 도전할 수 있게 되었습니다."

이와 같이, 자신의 경험과 생각을 바탕으로 솔직하고 겸손하게 대답하면서, 자신의 강점과 약점을 파악하고, 이를 바탕으로 어떻게 발전해 나갈 것인지에 대한 계획을 명확하게 설명하면 됩니다.

2. 대인관계에서의 능력과 윤리의식

대인관계는 조직에서 매우 중요한 역할을 합니다. 인성면접에서는 대인관계에서의 능력과 윤리의식에 대한 질문이 많이 나옵니다. 이때, 자신의 경험과 사례를 바탕으로 어떻게 대인관계를 유지하고 발전시켜 나갈 것인지에 대한 계획을 명확하게 설명해야 합니다.

예를 들어, "대인관계를 어떻게 유지하고 발전시켜 나갈 것인지에 대한 계획을 설명해주세요."라는 질문이 나왔을 때, 다음과 같이 대답할 수 있습니다.

"대인관계를 유지하기 위해서는 서로에 대한 이해와 존중이 필요하다고 생각합니다. 이를 위해서는 서로의 의견을 존중하고, 상대방의 입장에서 생각해보는 것이 중요합니다. 또한, 서로에 대한 신뢰를 쌓기 위해서는 약속을 잘 지키고, 성실하게 일을 수행하는 것이 필요합니다. 예를 들어, 제가 이전에 일했던 회사에서는 팀원들 간의 갈등이 있었습니다. 이때, 저는 팀원들 간의 대화를 통해 서로의 의견을 이해하고, 상대방의 입장에서 생각해보는 노력을 기울였습니다. 또한, 팀원들 간의 신뢰를 쌓기 위해서는 약속을 잘 지키고 성실하게 일을 수행하는 것이 필요하다고 생각하여, 이를 실천하였습니다. 이러한 노력 덕분에 팀원들 간의 갈등이 해소되었고 팀워크가 개선되었습니다. 또한, 대인관계를 발전시키기 위해서는 서로에 대한 관심과 배려가 필요합니다. 이를 위해서는 서로의 관심사와 취향을 파악하고 이를 바탕으로 서로에게 도움을 주는 것이 중요합니다. 제가 이전에 일했던 회사에서는 팀원들 간의 친목을 도모하기 위해, 팀원들의 생일을 기억하고 생일 축하를 해주는 등의 노력을 기울였습니다. 이러한 노력 덕분에 팀원들 간의 친목이 도모되었고 팀워크가 더욱 강화되었습니다. 이러한 경험을 바탕으로 제가 입사하게 된다면, 대인관계를 유지하고 발전시키기 위해 서로의 의견을 존중하고 상대방의 입장에서 생각해보는 노력을 기울일 것입니다. 또한, 서로에 대한 신뢰를 쌓기 위해 약속을 잘 지키고 성실하게 일을 수행할 것입니다."

이와 같이, 자신의 경험과 사례를 바탕으로 대인관계를 유지하고 발전시켜 나갈 것인지에 대한 계획을 명확하게 설명하면 됩니다.

3. 신뢰를 주는 논리적인 대답

논리적인 대답은 면접관에게 신뢰를 주는데 큰 역할을 합니다. 인성면접에서는 자신의 경험과 생각을 바탕으로 논리적인 대답을 해야 합니다. 이때, 자신의 생각과 경험을 명확하게 전달하고, 이를 바탕으로 논리적인 결론을 도출해야 합니다.

예를 들어, "자신의 리더십에 대해 설명해주세요."라는 질문이 나왔다면, 다음과 같이 대답할 수 있습니다.

"저는 리더십에 대해 이렇게 생각합니다. 리더십은 목표를 달성하기 위해 팀을 이끄는 능력입니다. 이를 위해서는 자신의 역할과 책임을 명확히 이해하고, 팀원들과의 원활한 소통이 필요합니다. 또한, 팀원들의 강점을 파악하고, 이를 최대한 활용할 수 있는 방안을 모색해야 합니다. 저는 이전 직장에서 프로젝트 매니저로 일하면서 이러한 리더십을 발휘했습니다. 프로젝트를 진행하면서 팀원들의 의견을 수렴하고 이를 바탕으로 목표를 설정했습니다. 또한, 팀원들의 강점을 파악하고, 이를 최대한 활용할 수 있는 방안을 모색했습니다. 이를 통해, 프로젝트를 성공적으로 마무리할 수 있었습니다. 리더십이란 자신의 역할과 책임을 명확히 이해하고 팀원들과의 원활한 소통과 팀원들의 강점을 최대한 활용하는 것이라고 생각합니다."

이와 같이, **자신의 경험과 생각을 바탕으로 논리적인 대답을 하면, 면접관에게 신뢰를 줄 수 있습니다. 또한, 자신의 경험과 생각을 명확하게 전달하고, 이를 바탕으로 논리적인**

결론을 도출해야 합니다. 이러한 방법을 통해, 면접에서 논리적인 대답을 하여, 면접관에게 신뢰를 주는 것이 중요합니다.

성격의 강 · 약점을 효과적으로 표현하는 방법과 입사 포부 작성법

자기소개서는 본인의 개성과 역량을 잘 어필할 수 있는 문서입니다. 본인의 경험과 강점을 구체적으로 표현하며, 회사와의 맞춤을 강조하는 것이 중요합니다. 이러한 가이드라인을 참고하여 자기소개서를 작성하면 좋은 결과를 얻을 수 있을 것입니다. 행운을 빕니다!

성격

성격을 소개할 때는 자신의 긍정적인 특징과 업무에 도움이 되는 성격적 장점을 강조하는 것이 중요합니다. 예를 들어, 문제 해결 능력, 책임감, 협업 능력, 성실함, 창의성 등과 같은 성격적 특성을 언급할 수 있습니다. 이러한 특징들을 구체적인 예시와 경험을 통해 뒷받침하여 설명하는 것이 좋습니다. 예를 들어, "문제 해결 능력"이라는 성격적 특징을 강조할 때는 다음과 같은 구체적인 예시와 경험을 언급할 수 있습니다

1. 예시 1) 프로젝트에서의 문제 해결 능력

"한 번은 제가 팀원들과 함께 프로젝트를 진행하던 중, 예상치 못한 문제에 직면했습니다. 이 문제를 해결하기 위해 우리는 여러 가지 해결 방안을 제시하고, 각각의 장단점을 분석했습니다. 저는 이 과정에서 분석력과 창의성을 발휘하여 효과적인 해결책을 찾아내는 데 기여했습니다. 이를 통해 우리는 프로젝트를 성공적으로 완료할 수 있었고, 문제 해결 능력을 향상시킬 수 있었습니다."

2. 예시 2) 고객 서비스에서의 문제 해결 능력

"저는 이전 직장에서 고객 서비스 업무를 담당하면서, 고객과의 의견 충돌 상황에서도 항상 고객의 요구를 이해하고, 문제를 해결하기 위해 최선을 다했습니다. 예를 들어, 한 번은 어떤 고객이 제품에 대한 불만이 있어서 저에게 연락했습니다. 저는 고객의 불만을 경청하고, 빠른 대응과 적극적인 솔루션 제시로 고객의 만족도를 높일 수 있었습니다. 이를

통해 고객의 신뢰를 회복하고, 긍정적인 관계를 유지할 수 있었습니다."

이와 같이 구체적인 예시와 경험을 통해 문제 해결 능력을 설명하면, 단순히 추상적인 개념으로 끝나는 것이 아니라, 실제로 업무에 어떻게 적용했는지를 보여줄 수 있습니다. 이렇게 성격적 특징을 구체화하고 경험을 뒷받침하는 것은 자기소개서를 더욱 강력하게 만들어줄 것입니다.

장·단점

자신의 장·단점을 솔직하게 언급하는 것은 중요합니다. 장점을 언급할 때에는 자신의 강점을 구체적으로 설명하고, 실제로 어떻게 그 장점을 활용해 왔는지 예를 들어 설명하는 것이 좋습니다. 단점을 언급할 때에는 자신의 개선사항에 대한 인식과 함께, 그 단점을 극복하기 위해 노력하고 있는 사실도 함께 언급하는 것이 좋습니다.

1. 장점을 언급할 때

"책임감"이라는 장점을 언급할 때는, 어떤 상황에서 책임감을 발휘하여 성과를 이끌어냈는지 구체적인 예를 들어 설명합니다. 이를 통해 책임감이 어떤 실제 결과를 도출해냈는지 보여줄 수 있습니다.

2. 단점을 언급할 때

단점을 솔직하게 언급하되, 개선사항에 대한 인식과 노력도 함께 언급합니다. 예를 들어, "조급함"이라는 단점을 언급할 때는, 조급함이 업무 진행에 어떤 영향을 미칠 수 있는지 인식하고, 이를 극복하기 위해 어떤 노력을 기울이고 있는지 언급합니다. 이를 통해 단점을 개선하기 위한 자기개발에 대한 의지를 보여줄 수 있습니다. 자신의 장·단점을 솔직하게 언급하는 것은 신뢰성을 보여주고, 개인의 성장 가능성을 나타낼 수 있는 좋은 기회입니다. 하지만, 단점을 언급할 때에는 긍정적인 접근과 개선 노력을 함께 언급하는 것이 중요합니다.

입사 포부

입사 포부를 작성할 때는 회사와의 연결점과 자신이 그 회사에 기여할 수 있는 역량을 강조해야 합니다. 회사의 가치관, 비전, 목표 등과 자신의 관련된 경험, 역량, 관심 등을 언급하여 입사 후에 어떤 역할을 수행하고 어떻게 성장하고 싶은지를 명확하게 표현해야 합니다. 입사 포부를 작성할 때는 자신이 그 회사에 맞는 사람임을 보여주기 위해 회사 연구를 충분히 하고, 회사와 자신의 목표를 일치시킬 수 있는 구체적인 계획과 비전을 제시하는 것이 좋습니다.

1. 회사와의 연결점을 언급합니다

회사의 가치관, 비전, 목표 등을 조사하고, 자신과 회사 간의 공통점을 찾아 언급합니다. 예를 들어, 회사가 혁신과 창의성을 중요시하는 가치관을 갖고 있다면, 자신이 창의적인 아이디어를 제시하고 혁신을 주도할 수 있는 역량을 강조합니다.

2. 자신의 관련 경험과 역량을 언급합니다

회사에 기여할 수 있는 경험과 역량을 구체적으로 언급합니다. 예를 들어, 이전 직장에서 프로젝트를 성공적으로 이끌어냈거나, 팀원들과의 원활한 협업 경험 등을 언급하여 자신의 역량을 강조합니다.

3. 입사 후의 역할과 성장에 대한 비전을 제시합니다

회사에서 어떤 역할을 수행하고, 어떻게 성장하고 싶은지 구체적으로 표현합니다. 예를 들어, 팀 리더로서 프로젝트를 성공적으로 이끌고, 실무 경험을 통해 전문성을 향상시키고 싶다는 비전을 제시합니다.

이와 같이 입사 포부를 작성할 때는 회사와의 연결점을 찾고 자신의 관련 경험과 역량을 언급하며 입사 후의 역할과 성장에 대한 비전을 구체적으로 표현하는 것이 좋습니다. 이를 통해 입사 포부를 더욱 강력하고 설득력 있게 전달할 수 있습니다.

자기소개서를 작성할 때는 구체적인 예시와 경험을 통해 각 영역을 뒷받침하고, 회사와의 연결점을 명확히 언급하는 것이 중요합니다. 또한, 자신의 긍정적인 특징과 역량을 강조하며 단점을 인식하고 극복하려는 자세를 보여주는 것도 좋은 전략입니다. 이러한 방법들을 적용하여 자기소개서를 작성하면 좋은 결과를 얻을 수 있을 것입니다. 힘내시고 좋은 자기소개서를 작성하시기 바랍니다!

[자기소개서 예시]

1. 성격

저는 긍정적이고 적응력이 좋은 성격입니다. 어떤 상황에서도 낙관적으로 문제를 해결하려고 노력하며 새로운 환경에 빠르게 적응할 수 있습니다. 예를 들어, 전 직장에서는 프로젝트 기간이 단축되어도 유연하게 대처하여 성공적으로 완료한 경험이 있습니다.

2. 장점과 단점

저의 강점 중 하나는 소통능력입니다. 효과적인 대화와 리더십으로 팀원들과 원활하게 협력할 수 있습니다. 예를 들어, 이전 프로젝트에서 팀 멤버들 간의 갈등을 해소하고 협업 동기를 높이는 데에 기여한 경험이 있습니다. 하지만 저의 단점 중 하나는 조급한 성향입니다. 그러나 이러한 단점을 극복하기 위해 계획을 철저히 세우고 미리 준비하는 습관을 갖추려고 노력하고 있습니다.

3. 입사 포부:

저는 OO회사의 가치와 비전에 큰 공감을 느끼고 있습니다. 제가 가진 기술과 역량을 최대한 발휘하여 협력적인 팀원으로서 기여하고, 성장하는 회사의 일원이 되고 싶습니다. 또한, 지속적인 자기계발과 함께 회사의 목표를 이루기 위해 노력하고 성장하는 모습을 보여드리겠습니다.

성격의 강점&장점을 강조하는 20가지 특징

자기소개서를 작성하실 때 성격의 장점을 구체적으로 쓰는 방법에 대해 알아보려고 합니다. 성격의 장점을 명확하고 구체적으로 서술하는 것은 자기소개서를 효과적으로 작성하는 핵심 요소 중 하나입니다. 이를 통해 공채나 취업 면접에서 자신의 성격을 정확히 전달하고, 기업이나 기관에서 요구하는 역량과 부합함을 보여줄 수 있습니다.

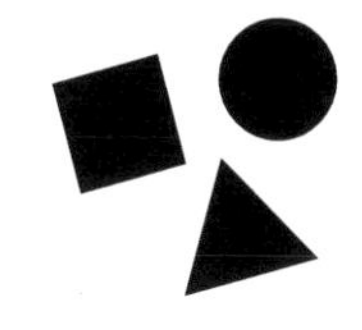

성격 장점

자기소개서를 작성할 때 성격의 장점을 쓰는 방법은 다음과 같습니다.

1. 구체적인 예시를 들어 설명하기

성격의 장점을 쓸 때는 구체적인 예시를 들어서 설명하는 것이 좋습니다. 예를 들어, "책임감이 강하다"라고 쓰는 것보다는 "매일 업무를 끝낼 때마다 체크리스트를 작성하여 모든 항목을 완료하고 있는지 확인하고, 만약 미완료 항목이 있다면 추가 작업을 수행하는 등 책임감을 가지고 일을 수행하고 있습니다"와 같이 구체적인 예시를 들어서 설명하는 것이 효과적입니다.

2. 기업이나 기관에서 요구하는 역량과 연관짓기

자기소개서를 작성할 때는 기업이나 기관에서 요구하는 역량과 연관짓는 것이 좋습니다. 예를 들어, "협력성이 강하다" 라고 쓰는 것보다는 "팀 프로젝트에서 팀원들의 업무 수행을 돕고, 자신의 역할을 완수하는 동시에 팀 전체의 목표 달성을 위해 노력하며, 팀워크를 통해 좋은 결과물을 만들어냈습니다"와 같이 자신의 경험을 바탕으로 구체적인 예시를 들어서 팀워크와 협력성을 강조하는 것이 좋습니다.

3. 단어 선택에 주의하기

자기소개서를 작성할 때는 단어 선택에 주의해야 합니다. 예를 들어, "열정적이다"라고 쓰는 것보다는 "저는 일에 대한 열정이 매우 강하며, 항상 최선을 다해 노력하여 새로운 아이디어를 제안하고 조직에 기여하고자 합니다. 예를 들어, 이전 회사에서는 팀 프로젝트에서 항상 적극적으로 참여하여 문제 해결에 기여하고 새로운 아이디어를 제시하여 팀의 성과를 높이는 데 일조했습니다."와 같이 구체적인 예시와 함께 단어를 선택하는 것이 좋습니다.

위와 같이 구체적인 예시와 함께, 기업이나 기관에서 요구하는 역량과 연관지어 자신의 성격의 장점을 쓰면, 면접관이나 채용 담당자에게 명확한 인상을 전달할 수 있을 것입니다.

자기소개서에서 성격의 장점을 쓸 때, 다음과 같은 특징을 고려해보세요.

1. 관찰력:
세부 사항을 주의깊게 관찰하고 분석하여
문제를 해결하는 능력

"저는 세부 사항을 주의깊게 관찰하고 분석하는 능력을 가지고 있습니다. 전 직장에서 고객 서비스 업무를 맡았을 때, 한 고객의 불만 사항을 해결해야 했습니다. 처음에는 문제의 원인을 파악하기 어려웠지만, 세부 사항을 주의깊게 관찰하고 분석해보니 고객이 어떤 부분에서 불만을 느끼는지 알아냈습니다. 그 후에는 고객의 요구사항과 피드백을 세밀히 관찰하여 문제의 근본 원인을 찾아 제공할 수 있는 해결책을 마련했습니다. 이러한 관찰력을 발휘하여 고객의 요구사항을 정확히 파악하고, 문제에 대한 신속하고 효과적인 대응을 할 수 있었습니다."

실제 경험을 구체적으로 설명(실제 사례를 적는 것이 중요)하면서 관찰력이 어떻게 문제 해결에 기여했는지를 강조해보세요. 이러한 방식으로 자기소개서를 작성하면 관찰력을 잘 부각할 수 있을 것입니다.

2. 창의성:
새로운 아이디어를 생각하고 독창적인 해결책을 제시하는 능력

"저는 항상 새로운 아이디어를 떠올리며 독창적인 해결책을 제시하는 것을 좋아합니다. 전 회사에서 새로 출시할 제품의 마케팅 전략을 수립할 때, 많은 경쟁 제품들이 있어 고민이 많았습니다. 하지만 제가 제안한 아이디어는 신제품 출시에 대한 새로운 접근 방식이었습니다. 이전까지 많은 제품들은 단순히 기능적인 측면에 초점을 맞추어 마케팅을 진행했지만, 제안한 아이디어는 제품의 감성적인 측면을 강조하여, 소비자의 감정을 자극하는 마케팅 전략을 수립하는 것이었습니다. 이 방식은 기존의 제품들과 차별화된 새로운 아이디어였고, 그 결과 제품 출시 후 매출이 크게 증대되었습니다."

새로운 아이디어를 제시하여 문제를 해결한 경험을 구체적으로 설명해보세요.

이러한 경험은 창의성을 강조하는 자기소개서에서 매우 효과적인 예시로 인정받고 있습니다. 이를 통해 창의성이 실제로 문제 해결에 어떻게 기여할 수 있는지를 잘 보여주면, 좋은 인상을 줄 수 있을 것입니다.

3. 리더십:
다른 사람들을 이끄는 데 탁월한 능력과 팀을 조직하는 능력

"저는 다른 사람들을 이끄는데 탁월한 리더십을 가지고 있습니다. 전 회사에서 새로운 프로젝트를 맡았을 때, 팀원들 간의 의견 차이와 역할 분담 문제로 인해 프로젝트가 지연될 뻔한 상황이었습니다. 이 때, 저는 팀원들 간의 역할을 명확하게 분담하고, 상호 의사소통이 원활하게 이루어지도록 노력했습니다. 또한, 팀원들의 각자의 강점과 약점을 파악하고, 이를 최대한 활용하여 프로젝트의 품질을 높이도록 노력했습니다. 또한, 상황에 따라 유연하게 대처하여 문제를 효과적으로 해결하였습니다. 이러한 노력 덕분에 프로젝트는 예정보다 일찍 완료되었으며, 팀원들 간의 협업도 좋았습니다."

리더십을 강조하는 자기소개서에서는 다른 사람들을 이끄는 능력과 팀을 조직하는 능력을 잘 보여주어야 합니다. 팀원들을 잘 이끌고, 문제를 해결하는 과정에서 적극적으로 대처하며, 효과적인 의사소통과 협업을 이루어낸 경험을 구체적으로 언급해보세요. 이를 통해 리더십에 대한 이해와 경험을 보여주면, 좋은 인상을 줄 수 있을 것입니다.

4. 책임감:
맡은 일에 대해 책임을
가지고 최선을 다하는 능력

"저는 맡은 일에 대해 책임을 가지고 최선을 다하는 성격입니다. 전 직장에서 프로젝트 매니저로 일하면서 한 번은 중요한 프로젝트의 일정이 지연될 위기에 처한 적이 있었습니다. 이는 전체 프로젝트의 성공에 큰 영향을 미칠 수 있는 상황이었습니다. 제가 맡은 역할은 프로젝트 일정을 관리하고 팀원들 간의 협업을 조율하는 것이었습니다. 이 상황에서 저는 책임감을 가지고 원인을 분석하고 문제를 해결하기 위해 노력했습니다. 저는 팀원들과의 회의를 통해 문제의 원인을 찾고, 추가적인 리소스를 확보하여 일정을 조정했습니다. 또한, 팀원들에게 동기 부여를 하고, 필요한 지원을 제공하여 모두가 최선을 다하도록 했습니다. 결과적으로, 프로젝트는 예정보다 빠르게 완료되었고, 성공적으로 마무리할 수 있었습니다."

맡은 일에 대한 책임감을 보여주는 자기소개서에서는 어려운 상황에서도 책임을 짊어지고 해결책을 찾기 위해 어떤 노력을 기울였는지를 구체적으로 언급해야 합니다.

문제 해결을 위해 적극적으로 행동하고, 팀원들과의 협력을 이끌어내는 등 책임감을 발휘한 경험을 서술해 보세요. 이를 통해 책임감을 가진 사람으로서의 능력과 자세를 잘 보여줄 수 있을 것입니다.

5. 협력성:
다른 사람들과 원활하게 협력하며
팀워크를 통해 목표를 달성하는 능력

"저는 다른 사람들과 원활하게 협력하며 팀워크를 통해 목표를 달성하는 것을 좋아하는 성격입니다. 이전 회사 팀 프로젝트를 수행하면서 탁월한 협력성을 발휘한 경험이 있습니다. 그 프로젝트는 팀원들의 역할 분담과 의사소통이 중요한 요소였습니다. 저는 팀원들과의 회의를 통해 목표를 명확하게 설정하고, 각자의 강점과 역할을 고려하여 효율적인 업무 분담을 계획했습니다. 또한, 팀원들과의 원활한 의사소통을 위해 정기적인 회의와 업무 공유를 실시했습니다. 이를 통해 팀원들이 서로에게 필요한 정보를 공유하고, 문제점을 해결하는 데에도 적극적으로 참여하였습니다. 결과적으로, 팀원들과의 협업을 통해 프로젝트를 성공적으로 완료할 수 있었습니다."

협력성을 강조하는 자기소개서에서는 팀원들과의 원활한 협력과 의사소통을 어떻게 이루어냈는지를 구체적으로 언급해야 합니다. 목표 설정, 역할 분담, 정기적인 회의 등을 통해 팀원들과의 협업을 조직하고, 문제 해결에도 적극적으로 참여한 경험을 서술해 보세요. 이를 통해 협력성과 팀워크를 갖춘 사람으로서의 능력과 자세를 잘 보여줄 수 있을 것입니다.

6. 문제해결능력:
복잡한 문제를 해결하는 능력과
효과적인 결정을 내리는 능력

"저의 강점은 문제해결 능력입니다. 이전 직장에서 제가 맡은 프로젝트 중 하나에서 예상치 못한 문제가 발생했습니다. 우리 팀은 고객의 요구사항을 충족시키기 위해 프로젝트 일정을 준수해야 했는데, 예상치 못한 기술적인 문제로 인해 일정이 늦어질 위기에 처했습니다. 이 상황에서 저는 문제를 해결하기 위해 다음과 같은 접근 방식을 적용했습니다. 먼저, 문제의 원인을 분석하고, 기술적인 도움을 주실 수 있는 동료들과 협력하여 해결책을 모색했습니다. 또한, 예상되는 결과와 위험 요소를 고려하여 여러 가지 대안을 고려하고, 이를 토대로 팀과 함께 효과적인 결정을 내렸습니다. 결과적으로, 우리는 문제를 해결하고 프로젝트 일정을 재조정하여 목표를 달성할 수 있었습니다."

문제해결능력을 강조하는 자기소개서에서는 어려운 상황에서 어떤 문제를 해결했으며, 그 과정에서 어떤 접근 방식을 적용했는지를 구체적으로 언급해야 합니다. 문제 분석, 동료들과의 협력, 대안 고려, 효과적인 결정 등을 통해 어떤 문제를 어떻게 해결했는지를 자세히 서술해 보세요. 이를 통해 문제해결능력을 가진 사람으로서의 능력과 자세를 잘 보여줄 수 있을 것입니다.

7. 성실성:
성실하게 일을 수행하며,
결과물을 제출하는 능력

"저는 항상 성실하게 일을 수행하며, 맡은 업무와 목표를 달성하기 위해 최선을 다합니다. 이전 직장에서는 프로젝트 일정을 준수하고 목표를 달성하기 위해 필요한 노력을 기울였습니다. 예를 들어, 프로젝트의 범위와 요구사항을 철저히 분석하고, 업무 완료에 필요한 자료와 도구를 확보하기 위해 노력했습니다. 또한, 작업 계획을 세우고 일정을 준수하기 위해 노력했으며, 문제를 예방하고 해결하기 위해 미리 대비책을 마련했습니다. 동료들과의 원활한 소통과 협력을 통해 업무를 수행하였으며, 업무 완료 후에는 결과물을 철저히 검토하고 제출 기한을 준수하여 완벽한 성과를 도출했습니다."

성실성을 강조하는 자기소개서에서는 어떤 업무를 어떻게 성실하게 수행했는지를 구체적으로 언급해야 합니다. 목표 이해, 철저한 조사와 준비, 작업 계획, 문제 해결, 결과물 검토 및 제출 등 성실성을 나타낼 수 있는 요소들을 자세히 서술해 보세요. 이를 통해 성실하고 신뢰성 있는 사람으로서의 능력과 자세를 잘 보여줄 수 있을 것입니다.

8. 소통능력:
다른 사람들과 원활한
의사소통을 하는 능력

"저는 소통 능력을 통해 교육팀에서 성공적으로 이끌었던 구체적인 사례가 있습니다. 예를 들어, 새로운 교육 프로그램 개발 프로젝트에서 저는 개발팀 간의 원활한 소통과 협력을 조장하여 팀의 성과를 극대화했습니다. 회의 일정을 미리 정하고 진행함으로써 팀원들과의 의사소통을 원활하게 유지했고, 학생과 교사들과의 인터뷰와 설문조사를 통해 다양한 의견을 수집하여 프로그램에 반영했습니다. 또한, 개발 과정에서 발생하는 문제점이나 개선사항을 즉시 공유하고, 팀원들과 함께 솔루션을 찾았습니다. 이러한 소통 능력을 통해 프로젝트를 성공적으로 완료했으며, 학생들의 만족도를 90% 이상으로 유지하는 결과를 도출했습니다. 이 경험을 통해 제 성격의 장점 중 하나인 소통능력이 팀의 협업과 성과에 어떤 영향을 미칠 수 있는지 깨닫게 되었습니다. 또한, 성과를 수치화하여 목표를 달성하는 데에도 큰 도움이 되었습니다. 제 소통 능력을 통해 타인과의 원활한 소통과 협력을 이끌어내는 능력은 제 성격의 큰 장점 중 하나로 자랑스럽게 여기고 있습니다."

소통능력을 강조하는 자기소개서에서는 어떻게 좋은 커뮤니케이션 기술을 활용하여 다른 사람들과 원활하게 소통했는지를 구체적으로 언급해야 합니다. 적절한 커뮤니케이션 방식 선택, 상대방의 의견 경청과 존중, 명확하고 간결한 표현 등 소통능력을 나타낼 수 있는 전략들을 자세히 서술해 보세요. 이를 통해 좋은 소통 능력을 가진 사람으로서의 능력과 자세를 잘 보여줄 수 있을 것입니다.

9. 적응력:
변화에 빠르게 적응하며
유연하게 상황에 대처하는 능력

"제가 가지고 있는 성격의 장점 중 하나는 높은 적응력입니다. 이는 인사팀에서도 큰 도움을 주었던 경험이 있습니다. 예를 들어, 이전 회사에서 새로운 인사 정책과 절차를 도입하였는데, 이로 인해 직원들의 혼동과 저항이 있었습니다. 저는 이러한 상황에 빠르게 대처하였습니다. 먼저 새로운 정책에 대해 깊이 이해하기 위해 학습하고 조사를 진행했습니다. 그리고 직원들의 우려와 의견을 듣기 위해 개별 면담을 실시하였습니다. 이를 통해 문제점과 개선사항을 파악하고, 직원들의 불안을 완화시키기 위한 대책을 마련했습니다. 또한 직원들에게 새로운 정책의 중요성과 이점을 설명하고, 정기적인 업데이트와 교육 세션을 개최하여 지속적인 지원을 제공했습니다. 이렇게 함으로써 직원들의 이해와 협조를 얻어, 새로운 정책의 원활한 시행에 성공했습니다. 이러한 경험을 통해 제 적응력은 변화에 빠르게 대응하고, 새로운 상황에서도 안정적으로 업무를 수행할 수 있는 능력임을 알게 되었습니다. 제 적응력은 팀과 조직의 성공과 발전에 기여할 수 있는 중요한 요소라고 자부합니다."

적응력을 강조하는 자기소개서에서는 어떻게 변화에 빠르게 적응하고 유연하게 대처했는지를 구체적으로 언급해야 합니다. 문제를 긍정적으로 대처하고 해결하기 위한 노력, 새로운 정보나 지침을 빠르게 습득하는 능력, 유연성을 유지하며 다양한 방법을 시도하는 자세 등을 자세히 서술해 보세요. 이를 통해 적응력이 뛰어난 사람으로서의 능력과 자세를 잘 보여줄 수 있을 것입니다.

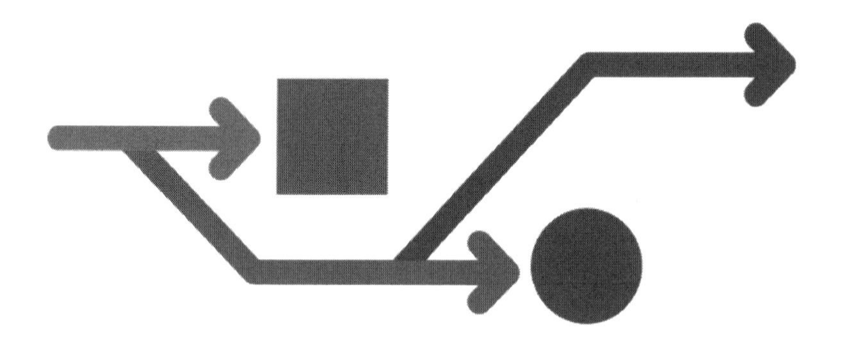

10. 인내심:
어려운 상황에서도 인내심을 가지고 차분하게 문제를 해결하는 능력

"저는 영업팀에서 인내심을 통해 성공적인 결과를 이끌어 낸 경험이 있습니다. 예를 들어, 어려운 거래 상황에서 인내심을 발휘하여 고객과의 관계를 유지하고, 해결책을 찾아냈습니다. 한 번의 거래에서는 고객의 요구사항과 우리 회사의 제안 사항이 맞지 않아 어려움이 있었습니다. 그러나 저는 고객의 의견을 귀 기울여 듣고, 이해하려는 노력을 아끼지 않았습니다. 상황을 잘 분석하고 문제점을 파악한 후, 고객과의 소통을 통해 상호 협력적인 관계를 구축했습니다. 고객에게 가장 적합한 해결책을 찾기 위해 노력했습니다. 이러한 인내심과 노력으로 결국 그 거래를 성사시키고, 고객의 만족도를 높일 수 있었습니다. 이러한 경험을 통해 저는 인내심이 긍정적인 결과를 얻을 수 있는 중요한 요소임을 깨달았습니다. 다양한 상황에서의 어려움에도 불구하고 인내심을 발휘하고, 문제를 해결하는 데에 집중할 수 있는 능력이 저의 장점입니다."

인내심을 강조하는 자기소개서에서는 어떻게 어려운 상황에서도 인내심을 발휘하고 차분하게 문제를 해결했는지를 구체적으로 언급해야 합니다. 문제 분석과 조사, 감정적인 통제력 유지, 유연한 대처와 대안 모색 등을 자세히 서술해 보세요. 이를 통해 인내심을 가진 사람으로서의 능력과 자세를 잘 보여줄 수 있을 것입니다.

11. 긍정적인 태도: 긍정적인 마인드와 낙관적인 태도를 가지고 일에 임하는 능력

"저는 항상 긍정적인 마인드와 낙관적인 태도를 가지고 일에 임하고 있습니다. 이전 프로젝트에서는 어려운 상황에서도 긍정적으로 바라보고 해결책을 모색했습니다. 예를 들어, 우리 팀이 마감 기한에 쫓기는 상황에서 저는 다음과 같이 긍정적인 태도를 유지했습니다. 첫째, 문제를 기회로 인식했습니다. 어려운 상황은 도전과 성장의 기회라고 생각하고, 문제를 해결하기 위한 창의적인 방법을 찾기 위해 노력했습니다. 둘째, 동료들과 협업하며 긍정적인 에너지를 공유했습니다. 팀원들에게 긍정적인 영향을 주고자 웃음과 격려를 나누었습니다. 셋째, 작은 성과를 축하하며 동기를 부여했습니다. 마일스톤을 달성할 때마다 작은 축하를 통해 팀의 의욕과 몰

입도를 높였습니다. 이러한 긍정적인 태도와 낙관적인 마인드를 가지고 팀원들과 함께 프로젝트를 성공적으로 완수했습니다."

긍정적인 태도를 강조하는 자기소개서에서는 어떻게 어려운 상황에서도 긍정적인 마인드와 낙관적인 태도를 유지하고 일에 임했는지를 구체적으로 언급해야 합니다. 문제를 기회로 인식하고 창의적인 해결책을 모색하는 자세, 동료들과 긍정적인 에너지를 공유하며 협력하는 능력, 작은 성과를 축하하고 동기부여하는 태도 등을 자세히 서술해 보세요. 이를 통해 긍정적인 태도를 가진 사람으로서의 능력과 자세를 잘 보여줄 수 있을 것입니다.

12. 독립성:
독립적으로 일을 수행하고
결정을 내리는 능력

"저는 독립적으로 일을 수행하고 결정을 내리는 장점을 가지고 있습니다. 저는 이전 직장에서 중요한 프로젝트를 맡게 되었는데, 이 프로젝트는 다양한 팀과 협업하여 진행되었습니다. 하지만 중간에 프로젝트의 방향성이 변경되어 결정을 내리는 상황이 있었습니다. 이때 저는 먼저 프로젝트의 목표와 요구사항을 다시 분석하고, 변경된 상황에 어떻게 대응해야 할지를 고려했습니다. 그리고 팀원들과의 논의를 거쳐 다양한 의견을 수렴했습니다. 그 다음, 독립적으로 프로젝트의 방향성을 정하고 결정을 내렸습니다. 이를 위해 필요한 자료와 정보를 수집하고, 프로젝트의 전략과 실행 계획을 업데이트했습니다. 또한, 이를 팀원들과 공유하여 의견을 수렴하고 피드백을 받았습니다. 독립적으로 문제를 해결하고 결정을 내린 덕분에 프로젝트 팀은 변화에 유연하게 대응할 수 있었고, 성공적인 결과를 이끌어낼 수 있었습니다."

독립성을 강조하는 자기소개서에서는 어떻게 독립적으로 일을 수행하고 결정을 내렸는지를 구체적으로 언급해야 합니다. 목표와 우선순위를 스스로 설정하고 업무에 집중하는 능력, 자원을 효율적으로 활용하면서 독립적으로 작업을 진행하는 능력, 다양한 대안을 고려하고 결정을 내리며 책임을 지는 자세 등을 자세히 서술해 보세요. 이를 통해 독립적인 업무 수행 능력과 자세를 잘 보여줄 수 있을 것입니다.

13. 세심함:
세부 사항에 신경을 쓰며 정확하고 철저하게 일을 처리하는 능력

"저는 세부 사항에 신경을 쓰며 정확하고 철저하게 일을 처리하는 성격입니다. 이전에 고객 지원팀에서 근무하며 고객 문의에 대한 처리를 담당했는데, 그 중 하나의 문의가 특히 복잡하고 다양한 세부 사항을 포함하고 있었습니다. 이때 저는 문의 내용을 철저히 분석하고 이해하였습니다. 그리고 고객과의 원활한 의사소통을 위해 추가 정보를 요청하였습니다. 이를 통해 문제의 본질을 파악하고 고객의 요구를 정확히 이해할 수 있었습니다. 그 다음, 세부 사항에 대한 처리를 정확하고 철저하게 진행했습니다. 예를 들어, 문의에 대한 해결 방법을 찾기 위해 다양한 리서치를 진행하고, 관련 부서나 동료들과의 협업을 통해 최상의 해결책을 찾아냈습니다.

또한, 세부 사항을 놓치지 않기 위해 체크리스트나 작업 일지를 작성하여 작업의 정확성과 완결성을 유지했습니다."

세심함을 강조하는 자기소개서에서는 어떻게 세부 사항에 신경을 쓰며 정확하고 철저하게 일을 처리했는지를 구체적으로 언급해야 합니다. 작업 계획을 세부적으로 세우고 일정에 맞춰 진행하는 능력, 문서 작업에 신경을 쓰며 오타나 오류를 최소화하는 능력, 업무 진행 상황을 체계적으로 관리하면서 작업 내용과 일정을 철저히 관리하는 능력 등을 자세히 서술해 보세요. 이를 통해 세심한 업무 처리 능력과 자세를 잘 보여줄 수 있을 것입니다.

14. 자기관리능력:
시간 관리, 스트레스 관리 등 업무를 효율적으로 관리하는 능력

"저는 영업팀에서 자기관리능력을 발휘하여 성공적인 성과를 이끌어냈습니다. 예를 들어, 매출 목표를 달성하기 위해 스스로를 관리하고 조정한 경험이 있습니다. 매출 목표를 달성하기 위해 제가 책임지고 스스로를 관리하며 성과를 이끌어냈습니다. 예를 들어, 저는 프로젝트 시작 전에 매출 목표를 10% 상승시키는 것으로 설정했습니다. 그 후, 제가 맡은 업무들을 세분화하여 각각의 목표를 설정하고, 타임라인을 만들었습니다. 매일 아침에는 중요한 작업에 집중하기 위해 1시간을 예약하고, 이후에는 우선순위에 따라 작업을 조정했습니다. 또한, 업무의 진행 상황을 체크하기 위해 매주 매출 수치를 분석하고 목표 달성률을 계산했습니다. 이러한 계획과 조정을 통해 프로젝트 종료 시에는 매출이 15% 상승하여 목표를 초과했습니다. 이런 식으로 제 자기관리능력을 통해 매출을 10% 이상 상승시키는 성과를 이끌어냈습니다."

자기관리능력을 강조하는 자기소개서에서는 어떻게 시간 관리와 스트레스 관리 등 자기를 효과적으로 관리했는지를 구체적으로 언급해야 합니다. 업무 우선순위를 파악하고 일정을 계획적으로 관리하는 능력, 적절한 휴식과 여가 활동을 통해 스트레스를 해소하는 능력, 스트레스 관리 방법을 적용하여 감정과 몸을 관리하는 능력 등을 자세히 서술해 보세요. 이를 통해 자기관리능력과 안정적인 업무 처리 능력을 잘 보여줄 수 있을 것입니다.

15. 사회성:
다양한 사람들과 원활하게 소통하고 협력하는 능력

"저는 사회성과 협업능력을 바탕으로 영업팀에서 뛰어난 업적을 이뤄냈습니다. 팀 내에서의 원활한 협업을 위해 적극적으로 다양한 소통 방식을 활용한 경험이 있습니다. 한 프로젝트에서는 팀원들과의 원활한 협업을 위해 주간 회의를 개최하고 매일의 업무 상황을 공유하는 시스템을 구축했습니다. 이를 통해 팀원들 간의 의견 교환과 정보 공유가 원활하게 이루어져 효율적인 업무 진행에 크게 기여했습니다. 저의 사회성과 협업능력을 바탕으로 팀 내의 원활한 협업과 업무 효율성을 높였습니다. 이러한 경험을 통해 저는 다른 사람과 함께 일하는 능력과 적극적인 커뮤니케이션 스타일을 자랑할 수 있습니다."

사회성을 강조하는 자기소개서에서는 어떻게 다양한 사람들과 원활하게 소통하고 협력했는지를 구체적으로 언급해야 합니다. 팀원들과의 철저한 소통과 정보 공유, 관계 조성과 적극적인 활동, 팀원들의 업무 도움 등을 자세히 서술해 보세요. 이를 통해 사회성과 협력 능력을 잘 보여줄 수 있을 것입니다.

16. 집중력:
주어진 작업에 집중하고 높은 수준의 몰입력을 유지하는 능력

"집중력은 연구팀에서 성공적인 업무 수행과 결과 도출에 중요한 역할을 합니다. 저는 특정 실험 데이터 분석을 위한 연구 프로젝트를 담당했습니다. 이 프로젝트에서의 목표는 특정 약물의 효과를 분석하고, 그에 대한 결과를 충분한 신뢰성과 통계적 유의성을 가진 데이터로 도출하는 것이었습니다. 프로젝트는 3개월의 시간 제한이 있었고, 목표는 통계적으로 유의미한 결과를 갖는 100개 이상의 샘플 데이터였습니다. 저는 집중력을 활용하기 위해 몇 가지 전략을 사용했습니다. 첫째로, 작업에 필요한 선행 연구와 관련 자료를 철저히 조사하고 이해함으로써, 연구의 전체적인 방향성을 빠르게 파악하고 목표를 설정했습니다. 둘째로, 실험 데이터 수

집과 분석에 중점을 두고, 다른 부가적인 작업을 최소화하여 주어진 시간을 효율적으로 활용했습니다. 이러한 전략을 통해 수치화된 성과를 얻을 수 있었습니다. 1개월 동안 실험을 실시하여 150개의 샘플 데이터를 획득하고, 통계적 분석을 통해 유의미한 결과를 도출했습니다. 이를 통해 특정 약물의 효과에 대한 신뢰성 있는 정보를 제공하는 95% 신뢰구간을 구축할 수 있었습니다."

집중력을 강조하는 자기소개서에서는 어떻게 주어진 작업에 집중하고 높은 수준의 몰입력을 유지했는지를 구체적으로 언급해야 합니다. 일정 관리, 작업 환경 조성, 작업 목표와 의미의 명확한 이해 등을 자세히 서술해 보세요. 이를 통해 집중력과 몰입력을 잘 보여줄 수 있을 것입니다.

17. 적극성:
새로운 도전이나 기회를 적극적으로 수용하고 추구하는 능력

"적극성으로 성공한 업무 중 하나는 이전 직장에서의 프로젝트 리딩입니다. 새로운 프로젝트에 대한 기회가 주어졌을 때, 적극적으로 도전하고 팀을 이끌어 성공적으로 프로젝트를 완수했습니다. 적극성을 발휘하여 프로젝트의 비전과 목표를 명확히 설정하고, 팀원들을 동기부여하고 지원하여 협업과 커뮤니케이션을 원활하게 이끌었습니다. 또한, 문제가 발생했을 때도 적극적으로 대처하여 해결책을 찾고 실행했습니다. 이러한 적극성을 통해 프로젝트는 성공적으로 완료되었으며, 팀원들과의 긍정적인 관계 형성과 함께 조직의 목표 달성에 기여할 수 있었습니다."

적극성을 강조하는 자기소개서에서는 어떻게 새로운 도전이나 기회를 적극적으로 수용하고 추구했는지를 구체적으로 언급해야 합니다. 아이디어 제안, 자발적인 역할 수행, 지속적인 학습과 개발 등을 자세히 서술해 보세요. 이를 통해 적극성과 도전적인 태도를 잘 보여줄 수 있을 것입니다.

18. 자발성:
스스로 일을 주도하고 능동적으로 문제를 해결하는 능력

"저는 일을 주도하고 능동적으로 문제를 해결하는 것을 좋아합니다. 성공한 업무 중 하나는 이전 직장에서의 프로세스 개선입니다. 업무 프로세스에서 발생하는 문제를 스스로 파악하고, 능동적으로 개선 방안을 모색하여 적용했습니다. 예를 들어, 업무 효율성을 높이기 위해 중복 작업을 제거하고 자동화 프로그램을 도입하여 월 평균 업무 처리량을 30% 이상 향상시켰으며, 월 평균 오류 발생률을 40% 이상 줄였습니다. 이러한 업무 개선 결과로 인해, 업무의 효율성과 생산성을 대폭 향상시킬 수 있었습니다. 또한, 업무에서 발생하는 어려움이나 문제 상황에 처하면, 능동적으로 조치를 취하여 문제를 해결했습니다. 이러한 자발성을 발휘하여 업무 환경을 개선하고, 팀의 성과에 기여할 수 있었습니다.

자발성을 강조하는 자기소개서에서는 어떻게 스스로 일을 주도하고 능동적으로 문제를 해결했는지를 구체적으로 언급해야 합니다. 업무에 대한 이해와 계획 수립, 문제 발생 시 즉각적인 조치, 팀원과의 협력 등을 자세히 서술해 보세요. 이를 통해 자발성과 능동적인 태도를 잘 보여줄 수 있을 것입니다.

19. 정확성:
세부 사항에 신경을 써서 정확하고 오차 없이 일을 수행하는 능력

"저는 세부 사항에 신경을 써서 정확하고 오차 없이 일을 수행하려고 노력하는 성격입니다. 예를 들어, 이전 프로젝트에서는 팀원들과 함께 복잡한 데이터 분석 작업을 수행했습니다. 데이터의 정확성이 매우 중요했기 때문에, 철저한 검토와 오차를 최소화하기 위한 절차를 도입했습니다. 결과적으로, 데이터 분석 작업에서 발생하는 오차를 5% 이하로 유지하고, 정확한 결과를 제출했습니다. 이외에도 일상적인 업무에서도 세부 사항에 신경을 써서 정확한 문서 작성이나 업무 처리를 수행하며, 신뢰성과 품질을 높였습니다. 정확성을 통해 업무의 품질을 향상시키고, 신뢰를 얻는데 기여할 수 있었습니다."

정확성을 강조하는 자기소개서에서는 어떻게 세부 사항에 신경을 써서 정확하고 오차 없이 일을 수행했는지를 구체적으로 언급해야 합니다. 자료 분석과 검토, 문서 작성 시 주의 깊은 확인, 일정 관리와 목표 달성에 대한 노력 등을 자세히 서술해 보세요. 이를 통해 정확성과 신중한 태도를 잘 보여줄 수 있을 것입니다.

20. 유연성:
변화에 적응하고 다양한 상황에 유연하게 대처하는 능력

[예시1] "유연성은 제 성격 장점 중 하나로, 변화에 적응하고 다양한 상황에 유연하게 대처하는 능력입니다. 예를 들어, 이전 프로젝트에서는 새로운 팀원들이 합류하면서 조직 구조와 업무 방식이 변경되었습니다. 이에 대처하기 위해, 첫째로 팀의 협업 방식을 조정하고, 새로운 구성원들의 강점을 파악하여 역할을 재분배했습니다. 이를 통해, 팀의 협업 효율성을 향상시키고 업무의 흐름을 원활하게 유지했습니다. 둘째로, 프로젝트 일정이 예상보다 길어지고 여러 가지 우려 요인이 발생했습니다. 이에 대처하기 위해, 우선적으로 프로젝트 일정을 재조정하고, 우여곡절을 예상하여 여유 시간을 미리 계획에 반영했습니다. 또한, 문제가 발생했을 때 신속하게 대응

하기 위해 예비 계획과 대안을 준비했습니다. 이를 통해, 프로젝트의 성공적인 완료와 팀의 신뢰를 얻을 수 있었습니다."

[예시2] "교육팀에서 유연성이라는 성격적 장점을 살려 다양한 상황에 적응하고 대처할 수 있었습니다. 예를 들어, 교육 프로그램 개발 중 예상치 못한 변경 사항이 발생할 때 적극적으로 대응했습니다. 참가자 수의 증가로 인한 장소 변경이 필요한 경우, 신속하게 대처하여 새로운 장소를 조사하고 참가자들에게 명확하게 안내했습니다. 또한, 기술 문제나 장비 고장과 같은 상황에서는 유연하게 대처하여 기술 지원팀과 협력하여 문제를 해결하고 교육 프로그램을 원활하게 진행했습니다. "

유연성을 강조하는 자기소개서에서는 어떻게 변화에 적응하고 다양한 상황에 유연하게 대처했는지를 구체적으로 언급해야 합니다. 핵심 목표 파악과 유연한 계획 수립, 팀원들과의 소통과 협력, 새로운 도구와 기술 학습과 적용에 대한 노력 등을 자세히 서술해 보세요. 이를 통해 유연성과 적응력을 잘 보여줄 수 있을 것입니다.

위의 특징들은 자기소개서에서 성격의 장점을 강조할 때

도움이 될 수 있습니다.

이러한 특징들 중에서 자신의 강점과 경험에 맞는 것들을 선택하여 구체적인 예시와 함께 작성해보세요.

나를 스토리텔링하는 방법

자기소개서를 작성할 때, 많은 취업 준비생들이 가장 어려워하는 부분 중 하나는 '나를 스토리텔링하는 방법'입니다. 하지만, 스토리텔링은 단순히 자신의 경험을 나열하는 것이 아니라, 그 경험을 통해 자신이 어떤 사람인지, 어떤 역량과 가치를 가지고 있는지 보여주는 것입니다.

1. 독특한 경험

자기소개서를 쓸 때, 누구나 가지고 있는 일반적인 경험보다는 자신이 독특하게 가지고 있는 경험을 중심으로 작성하는 것이 좋습니다. 예를 들어, 자신이 어떤 도전적인 상황에서 문제를 해결한 경험이 있다면, 그 경험을 중심으로 작성해보세요.

[예시]

제가 가진 독특한 경험 중 하나는 대학 시절 해외 봉사활동을 다녀온 것입니다. 이를 통해 다양한 문화와 사람들을 만나며, 문제 해결 능력을 키울 수 있었습니다. 해외 봉사활동 중에는 다양한 상황에서 문제를 해결해야 했습니다. 예를 들어, 언어의 장벽으로 인해 의사소통이 어려울 때는 몸짓과 그림 등을 이용하여 의사소통을 시도하였고, 이를 통해 효과적으로 의사소통을 할 수 있었습니다. 또한, 현지 문화와 관습을 이해하고 그에 맞는 방식으로 일을 처리해야 했습니다. 이를 통해 문제 해결 능력을 키울 수 있었고, 다양한 상황에서 대처할 수 있는 능력을 갖추게 되었습니다. 또한, 해외 봉사활동을 통해 팀워크와 커뮤니케이션 능력을 키울 수 있었습니다. 다양한 국적과 배경을 가진 사람들과 함께 일하면서, 서로의 의견을 존중하고 효과적으로 의사소통하는 방법을 배웠습니다. 이를 통해 팀워크와 커뮤니케이션 능력을 향상시킬 수 있었고, 다양한 사람들과 협력하여 목표를 달성하는 능력을 갖추게 되었습니다. 이러한 경험들은 제가 일하는 데 큰 도움이 될 것이라 생각합니다.

2. 구체적인 수치와 데이터

자기소개서에서는 구체적인 수치와 데이터를 활용하여 자신의 역량을 강조하는 것이 좋습니다. 예를 들어, 자신이 어떤 프로젝트를 성공적으로 수행한 경험이 있다면, 그 프로젝트의 성과와 결과를 구체적으로 작성해보세요.

[예시]

제가 가진 역량 중 하나는 데이터 분석 능력입니다. 이전 회사에서 근무할 때, 데이터 분석을 통해 매출 증대에 기여한 경험이 있습니다. 예를 들어, 한 프로젝트에서는 매출 데이터를 분석하여 특정 제품군의 매출이 저조한 것을 발견했습니다. 이를 해결하기 위해 해당 제품군의 마케팅 전략을 수정하고, 가격 정책을 조정하는 등의 조치를 취했습니다. 그 결과, 해당 제품군의 매출이 20% 증가하였고, 전체 매출도 10% 상승하였습니다. 이러한 경험을 통해 데이터 분석 능력을 향상시키고, 문제 해결 능력을 키웠습니다.

3. 역량과 가치

자신이 가지고 있는 역량과 가치를 자기소개서에서 강조하는 것이 중요합니다. 예를 들어, 자신이 어떤 분야에서 뛰어난 역량을 가지고 있다면, 그 역량을 구체적으로 작성해보세요. 또한, 자신이 어떤 가치를 추구하는 사람인지도 함께 작성해보세요.

[예시]

저는 문제 해결 능력을 가진 창의적인 사람으로, 어떤 상황에서도 빠르게 적응하고 문제를 해결할 수 있습니다. 이전 직장에서는 프로젝트 관리자로서 여러 프로젝트를 성공적으로 이끌었으며, 예상치 못한 문제가 발생했을 때도 빠르게 대처하여 프로젝트를 성공적으로 마무리했습니다. 또한, 저는 성실하고 근면한 사람으로, 어떤 일이든 최선을 다하고 책임을 다합니다. 이전 직장에서는 항상 업무 시간을 준수하고, 어떤 일이든 최선을 다해 마무리했습니다. 이러한 성실함과 근면함은 제가 어떤 직무에서도 뛰어난 성과를 내는 데 도움이 될 것입니다. 저는 또한 팀워크와 협업 능력을 가지고 있습니다. 이전 직장에서는 다양한 팀과 함께 일하며, 서로의 강점을 살려 프로젝트를 성공적으로 이끌었습니다. 또한, 항상 다른 사람의 의견을 존중하고, 함께 일하며 문제를 해결하는 데 주력했습니다. 이러한 역량과 가치를 바탕으로, 저는 OO직무에서도 뛰어난 성과를 내는 데 기여할 수 있습니다.

구체적인 경험

취업 자기소개서를 작성할 때는 구체적인 예시를 들어 자신의 경험과 역량을 보여주는 것이 좋습니다. 예를 들어, 자신이 어떤 프로젝트를 수행한 경험이 있다면, 그 프로젝트에서 자신이 어떤 역할을 맡았고, 어떤 성과를 이루었는지 구체적으로 작성해보세요.

[예시]

제가 가지고 있는 역량 중 하나는, 조직적인 업무 처리 능력입니다. 대학 시절에, 저는 한 동아리의 총무를 맡으면서,

동아리의 예산을 관리하고, 동아리의 일정을 계획하는 등의 업무를 수행하였습니다. 이 업무를 수행하면서, 저는 항상 일정을 잘 관리하고, 예산을 효율적으로 사용하는 것에 중점을 두었습니다. 예를 들어, 동아리의 일정을 계획할 때는, 동아리 멤버들의 일정을 고려하여, 최대한 많은 사람들이 참여할 수 있는 일정을 계획하였습니다. 또한, 예산을 관리할 때는, 예산 사용 내역을 자세히 기록하고, 예산을 효율적으로 사용하는 방법에 대해 고민하였습니다. 이러한 경험을 바탕으로, 저는 행정직에서 근무하면서, 조직의 업무를 조직적으로 처리하고, 조직의 성과를 향상시키는 데 기여하고 싶습니다. 또한, 제가 맡은 일에 대해 책임감을 가지고, 최선을 다해 일을 수행하고자 합니다.

자기소개서를 작성할 때, 자신을 스토리텔링하는 방법은 매우 중요합니다. 자신의 독특한 경험과 구체적인 수치와 데이터, 그리고 역량과 가치를 강조하여 작성하면, 취업 준비생들 중에서 더욱 두드러지는 자기소개서를 작성할 수 있을 것입니다.

[행정 직무 : 자기소개서 예시]

행정직으로 지원한 OOO입니다. 어릴 적부터 저는 조직적이고 체계적인 일을 좋아했습니다. 학교에서는 항상 일정을 관리하고 계획을 세우는 일을 담당했으며, 이러한 능력을 발휘하여 학급을 원활하게 운영하였습니다.

이러한 경험은 저에게 행정 직무에 대한 열정을 심어주었습니다. 대학에서는 행정학과에 진학하여 다양한 과목을 수강하였습니다. 특히, 재무, 인사, 법률 등 다양한 분야에 대한 지식을 습득하였습니다.

이를 통해 행정 업무에 필요한 기초적인 지식을 습득할 수 있었습니다. 대학 졸업 후에는 행정직으로 경력을 쌓기 위해 노력하였습니다. 작은 규모의 회사에서 행정 업무를 담당하며, 문서 작성, 회의 일정 관리, 예산 관리 등을 담당하였습니다. 이러한 경험을 통해 업무의 흐름과 조직 내 커뮤니케이션의 중요성을 깨닫게 되었습니다. 저는 행정 업무를 수행할 때, 꼼꼼함과 조직력을 바탕으로 업무를 처리합니다. 또한, 문제 해결 능력을 갖추어 예기치 않은 상황에 대처할 수 있습니다.

이러한 역량을 바탕으로 조직 내에서 효율적인 업무 수행을 돕고, 조직의 목표 달성에 기여하고 싶습니다. 저는 항상 새로운 도전을 추구하며, 자기계발을 위해 노력하는 사람입니다. 행정 업무에 대한 열정을 바탕으로 조직 내에서 성장하고, 조직의 성공에 기여하는 행정 전문가가 되고자 합니다.

면접에서 성공하기 위한 중요한 요소 5가지

면접은 짧은 시간 동안 많은 것을 보여줘야 하는 중요한 자리입니다. 첫인상은 면접관의 결정에 큰 영향을 미치므로, 좋은 인상을 남기는 것이 중요합니다.

1 자신감과 긍정적인 태도

자신감 있고 긍정적인 태도는 면접관에게 좋은 인상을 심어줍니다. 자신의 능력과 경험을 자신감 있게 표현하고, 면접에 임하는 긍정적인 에너지를 전달해보세요.

1. **자신의 강점에 집중하기**: 자신이 가진 강점과 능력을 강조하고, 이를 면접관에게 전달하는 것이 중요합니다. 자신의 경험과 성과를 자신감 있게 소개하고, 어떻게 그 능력이 해당 직무에 도움이 될 수 있는지 설명해보세요.

2. **긍정적인 언어 사용**: 면접 중에는 긍정적인 언어를 사용하여 자신의 태도와 열정을 전달해보세요. "저는 항상 도전적인 과제를 해결하려고 노력합니다"와 같은 긍정적인 표현을 사용해보세요.

3. **몸짓과 표정 활용**: 자신감과 긍정적인 태도를 전달하기 위해 몸짓과 표정을 활용하세요. 바른 자세와 눈빛을 유지하고, 미소를 지으며 면접관에게 친근하고 자신감 있는 인상을 전달해보세요.

4. **자신의 관심사와 동기 표현**: 해당 직무에 대한 관심과 열정을 보여주기 위해 자신의 동기와 관심사를 언급해보세요. 왜 해당 직무에 지원하게 되었는지, 어떤 이유로 해당 회사에 관심을 가지게 되었는지 등을 설명해보세요.

5. **준비와 자신감 유지**: 면접에 대비하여 충분한 준비를 하고, 자신의 능력과 경험에 대한 자신감을 유지하세요. 면접

질문에 대한 답변을 미리 준비하고, 자신의 강점과 역량을 자신감 있게 어필해보세요.

이러한 방법들을 활용하여 자신감과 긍정적인 태도를 면접에서 표현해보세요. 면접관에게 좋은 인상을 심어주고, 자신의 능력을 어필할 수 있을 것입니다.

2 명확한 커뮤니케이션

면접 중에는 명확하고 간결한 커뮤니케이션이 필요합니다. 자신의 생각과 경험을 명료하게 전달하고, 질문에 대한 답변을 잘 구성해보세요.

1. **명확하고 간결한 답변:** 질문에 대한 답변을 할 때, 너무 길지 않고 명확하고 간결하게 전달해보세요. 핵심 내용을 먼저 언급하고, 필요한 세부사항을 추가하여 답변을 구성해보세요.

2. **구체적인 예시 사용:** 자신의 경험과 역량을 설명할 때, 구체적인 예시를 사용하여 더욱 명확하게 전달해보세요. 예를 들어, "이전 회사에서 프로젝트를 성공적으로 이끌었던 경

험을 가지고 있습니다. 한 번은 ... "와 같이 구체적인 사례를 들어보세요.

3. **질문의 핵심 파악**: 면접관의 질문을 정확히 이해하고, 그에 대한 핵심을 파악해보세요. 질문을 잘못 이해하거나 주제에서 벗어나는 답변을 하지 않도록 주의하세요.

4. **명료한 발음과 속도**: 명료한 발음과 적절한 속도로 말하여 면접관이 이해하기 쉽도록 도와주세요. 말을 너무 빠르게 하거나 불분명하게 발음하지 않도록 주의하세요.

이러한 방법들을 활용하여 면접에서 명확한 커뮤니케이션을 실천해보세요. 면접관에게 자신의 생각과 경험을 잘 전달하고, 좋은 인상을 남길 수 있을 것입니다.

3 적절한 비언어적 요소

비언어적 요소도 첫인상을 형성하는 데 중요한 역할을 합니다. 올바른 자세와 눈빛, 적절한 제스처 등을 사용하여 자신의 자신감과 열정을 표현해보세요.

1. **바른 자세**: 면접 중에는 바른 자세를 유지하세요. 등을 곧게 펴고, 어깨를 편안하게 내려놓으세요. 바른 자세는 자신감과 전문성을 나타내는 데 도움이 됩니다.

2. **눈빛**: 면접관과 눈을 마주치며 대화하는 것은 관심과 적극적인 태도를 보여줍니다. 너무 강하게 눈을 바라보지 말고, 자연스럽고 친근한 눈빛을 유지해보세요.

3. **적절한 제스처**: 손동작이나 몸의 움직임을 적절하게 활용하세요. 과도한 제스처는 피하고, 자연스럽고 편안한 제스처를 사용하는 것입니다. 과도한 제스처나 부자연스러운 움직임은 면접관에게 부정적인 인상을 줄 수 있으므로, 자신의 제스처를 자연스럽게 조절하는 것이 좋습니다.

4. **표정**: 긍정적인 표정을 유지하세요. 웃는 얼굴은 친근하고 긍정적인 인상을 주는 데 도움이 됩니다. 자신의 열정을 표정에 담아보세요.

5. **목소리**: 목소리는 면접에서 중요한 역할을 합니다. 명확하고 큰 목소리로 말하면 자신감과 전문성을 보여줄 수 있습니다. 작은 목소리나 떨리는 목소리는 자신감이 부족해 보일 수 있으므로 주의해야 합니다. 목소리의 강약을 조절하여 표

현력을 높이고, 면접관에게 더욱 명확하게 전달되도록 노력해보세요.

4 복장

깔끔하고 단정한 복장으로 자신을 어필하고, 면접 장소에 어울리는 스타일을 선택해보세요.

1. **복장 선택**: 깔끔하고 단정한 복장을 선택하세요. 정장이나 비즈니스 캐주얼이 일반적으로 적합합니다. 옷의 색상은 너무 화려하거나 눈에 띄는 것보다는 차분하고 중립적인 색을 선택하는 것이 좋습니다.

2. **액세서리**: 액세서리는 심플하고 전문적인 분위기를 연출할 수 있도록 선택하세요. 너무 과한 액세서리나 화려한 보석은 피하는 것이 좋습니다.

3. **메이크업**: 남성의 경우 깔끔하고 자연스러운 메이크업을, 여성의 경우 깔끔하고 과하지 않은 메이크업을 선택하세요. 피부 톤을 자연스럽게 강조하고, 눈을 강조하는 등의 기본적인 메이크업을 고려해보세요.

4. **머리 스타일:** 깔끔하고 정돈된 머리 스타일을 선택하세요. 너무 긴 머리카락은 어깨를 가리지 않도록 하고, 남성의 경우 깔끔한 머리를 유지하세요.

5. **청결함:** 청결한 모습을 유지하세요. 깨끗한 신발, 손톱 정리, 향수나 코롱 등의 사용은 면접관에게 좋은 인상을 줄 수 있습니다.

면접에 어울리는 복장을 갖추는 것은 면접관들에게 긍정적인 인상을 심어줄 수 있습니다. 깔끔하고 단정한 모습으로 자신을 어필해보세요.

5 회사 조사와 준비

면접 전에 회사를 조사하고, 회사의 가치관과 요구사항에 대해 알아두는 것이 좋습니다. 이를 통해 회사에 대한 관심과 열정을 보여줄 수 있으며, 면접 질문에 대한 준비를 더욱 철저히 할 수 있습니다.

1. **회사 웹사이트 방문:** 회사의 웹사이트에 방문하여 회사의 비전, 가치관, 제품 또는 서비스 등에 대해 자세히 알아보

세요. 회사에 대한 전반적인 이해를 높일 수 있습니다.

2. **뉴스 기사 검색:** 회사의 최신 뉴스 기사를 검색하여 회사의 최근 동향과 성과에 대해 알아두세요. 이를 통해 회사에 대한 관심과 열정을 보여줄 수 있습니다.

3. **회사 문화 조사:** 회사의 문화를 조사해보세요. 회사의 가치관, 팀워크, 업무 환경 등에 대해 알아두면 면접에서 회사에 대한 이해도를 높일 수 있습니다.

4. **면접 질문 준비:** 회사의 요구사항과 관련된 질문을 예상해보고, 자신의 경험과 역량을 어필할 수 있는 답변을 준비하세요. 회사의 가치관과 요구사항에 부합하는 답변을 준비하는 것이 중요합니다.

면접 전에 회사를 조사하고 준비하는 것은 면접에서 회사에 대한 관심과 열정을 보여줄 뿐만 아니라, 면접 질문에 대한 준비를 더욱 철저히 할 수 있도록 도와줍니다. 면접에서 자신의 역량을 최대한 발휘할 수 있도록 노력해보세요.

면접에서 성공하기 위한 중요한 요소 5가지 방법을 실천하면 면접에서 좋은 인상을 남길 수 있습니다. 자신감, 명확한 커뮤니케이션, 적절한 비언어적 요소, 복장, 그리고 회사 조사와 준비는 면접에서 성공하기 위한 중요한 요소입니다. 이러한 방법들을 적절히 활용하여 면접에서 좋은 결과를 얻을 수 있기를 바랍니다.

면접관을 사로잡는 자기소개서 작성요령 10가지 방법

면접관을 사로잡는 자기소개서를 작성하기 위해 다음과 같은 10가지 방법을 활용할 수 있습니다.

1 구체적이고 간결하게 작성하기

1. **핵심 내용 요약:** 자기소개서의 핵심 내용을 요약하여 시작하세요. 어떤 강점과 경험을 가지고 있는지, 어떤 직무에 지원하고 있는지, 그리고 회사에 어떻게 기여할 수 있는지 등을 간결하게 요약해보세요.

2. **구체적인 목표 설정:** 자기소개서의 결론을 통해 구체적

인 목표를 설정하세요. 예를 들어, 어떤 직무에서 일하고 싶은지, 어떤 분야에서 성장하고 싶은지 등을 구체적으로 기술해보세요.

3. **열정과 의지 표현:** 자기소개서의 결론을 통해 열정과 의지를 표현하세요. 회사에 대한 관심과 열정을 나타내며, 직무에 대한 열망과 의지를 강조해보세요.

4. **긍정적인 마무리:** 자기소개서의 결론을 긍정적이고 인상적인 문장으로 마무리하세요. 자신의 자신감과 긍정적인 태도를 나타내며, 면접관이나 채용 담당자에게 좋은 인상을 남길 수 있도록 노력해보세요.

2 강점 강조하기

자신의 강점과 능력을 구체적으로 언급하여 면접관의 관심을 끌어보세요.

1. **핵심 역량 강조:** 자신이 가진 핵심 역량을 강조하고, 이를 통해 회사에 어떻게 기여할 수 있는지 언급해보세요. 예를 들어, "저는 문제 해결 능력이 뛰어나며, 창의적인 아이디

어를 제시할 수 있습니다."와 같이 핵심 역량을 구체적으로 언급해보세요.

2. **경험에서 얻은 역량 언급:** 이전 직장이나 프로젝트 경험에서 얻은 역량을 언급하여, 이를 통해 회사에 어떻게 기여할 수 있는지 설명해보세요. 예를 들어, "저는 이전 직장에서 프로젝트 관리 경험을 쌓았으며, 이를 통해 효과적인 업무 조직과 일정 관리 능력을 갖추었습니다."와 같이 경험에서 얻은 역량을 언급해보세요.

3. **성과와 업적 강조:** 이전 직장이나 프로젝트에서 어떤 성과와 업적을 이루었는지 구체적으로 언급해보세요. 이를 통해 자신의 역량을 강조하고, 회사에 어떻게 기여할 수 있는지 보여줄 수 있습니다. 예를 들어, "저는 이전 직장에서 매출 증가를 위한 마케팅 전략을 개발하여, 매출 증가에 기여하였습니다."와 같이 성과와 업적을 강조해보세요.

4. **열정과 의지 표현:** 자신의 열정과 의지를 언급하여, 회사에 대한 관심과 직무에 대한 열망을 보여줘보세요. 이를 통해 면접관의 관심을 끌고, 자신의 강점을 더욱 강조할 수 있습니다. 예를 들어, "저는 이 직무에 대한 열정과 의지를 가지고 있으며, 회사의 성장과 발전에 기여하고 싶습니다."와

같이 열정과 의지를 표현해보세요.

3 관련 경험 소개하기

이전 경험 중에서 해당 직무와 관련된 사례를 소개하여 자신의 역량과 전문성을 강조하세요.

1. **핵심 경험 강조:** 자기소개서의 결론 부분에서 해당 직무와 관련된 핵심 경험을 강조해보세요. 어떤 경험이 해당 직무에 도움이 될 수 있는지 생각하고, 그 경험을 구체적으로 기술해보세요. 예를 들어, "저는 이전 직장에서 프로젝트 매니저로 일한 경험이 있으며, 이를 통해 효과적인 업무 조직과 일정 관리 능력을 갖추었습니다."와 같이 핵심 경험을 강조해보세요.

2. **성과와 업적 소개:** 해당 직무와 관련된 경험에서 어떤 성과와 업적을 이루었는지 소개해보세요. 이를 통해 자신의 역량과 전문성을 강조할 수 있습니다. 예를 들어, "저는 이전 직장에서 매출 증가를 위한 마케팅 전략을 개발하여, 매출 증가에 기여하였습니다."와 같이 성과와 업적을 소개해보세요.

3. 역량과 스킬 강조: 해당 직무와 관련된 역량과 스킬을 강조해보세요. 어떤 역량과 스킬이 해당 직무에 필요한지 생각하고, 그 역량과 스킬을 구체적으로 기술해보세요. 예를 들어, "저는 문제 해결 능력이 뛰어나며, 창의적인 아이디어를 제시할 수 있습니다."와 같이 역량과 스킬을 강조해보세요.

4. 회사에 대한 관심 표현: 해당 회사에 대한 관심을 표현해보세요. 회사의 가치관과 업무 방식에 대해 조사하고, 그 조사 내용을 바탕으로 회사에 대한 관심을 나타내보세요. 예를 들어, "저는 이 회사의 가치관과 업무 방식에 매우 관심이 있으며, 이 회사에서 일하고 싶습니다."와 같이 회사에 대한 관심을 표현해보세요.

4 성취 사례 공유하기

이전 업무에서 이룬 성과나 성취 사례를 구체적으로 설명하여 자신의 역량을 입증하세요.

1. 구체적인 성과 언급: 이전 직장이나 프로젝트에서 어떤 성과를 이루었는지 구체적으로 언급해보세요. 예를 들어, "저는 이전 직장에서 매출 증가를 위한 마케팅 전략을 개발하여

매출을 20% 증가시켰습니다."와 같이 구체적인 성과를 언급해보세요.

2. **성과의 중요성 강조:** 달성한 성과의 중요성을 강조해보세요. 그 성과가 어떻게 회사나 프로젝트에 도움을 주었는지 설명하여, 자신의 역량을 입증해보세요. 예를 들어, "제가 개발한 마케팅 전략은 매출 증가뿐만 아니라 고객 만족도도 향상시켰습니다."와 같이 성과의 중요성을 강조해보세요.

3. **역할과 기여도 설명:** 해당 성과에 대한 자신의 역할과 기여도를 설명해보세요. 어떤 역할을 맡았고, 어떻게 기여하였는지 구체적으로 언급해보세요. 예를 들어, "저는 마케팅 전략 개발 및 실행을 주도하였으며, 팀원들과의 협업을 통해 성과를 이루었습니다."와 같이 역할과 기여도를 설명해보세요.

4. **성과의 지속성 강조:** 달성한 성과가 일시적인 것이 아니라 지속 가능하다는 점을 강조해보세요. 어떻게 성과를 유지하고 발전시킬 수 있는지 설명하여, 자신의 역량을 입증해보세요. 예를 들어, "제가 개발한 마케팅 전략은 지속적으로 성과를 내고 있으며, 시장 동향을 파악하여 지속적으로 개선해 나가고 있습니다."와 같이 성과의 지속성을 강조해보세요.

5 목표와 열정 강조하기

해당 직무에 대한 목표와 열정을 표현하여 면접관에게 자신의 열의와 동기를 전달하세요.

1. **직무에 대한 열정 표현:** 해당 직무에 대한 열정과 관심을 표현해보세요. 왜 해당 직무에 지원하게 되었는지, 어떤 이유로 해당 직무에 열정을 가지고 있는지 설명해보세요. 예를 들어, "저는 항상 데이터 분석에 대한 열정을 가지고 있었으며, 이를 통해 기업의 의사결정에 기여하고 싶습니다."와 같이 직무에 대한 열정을 표현할 수 있습니다.

2. **목표와 동기 제시:** 해당 직무를 통해 어떤 목표를 달성하고 싶은지, 어떤 동기로 해당 직무에 도전하고자 하는지 제시해보세요. 예를 들어, "저는 데이터 분석을 통해 기업의 비즈니스 성과를 극대화하고, 데이터 기반의 의사결정을 지원하고자 합니다."와 같이 목표와 동기를 제시할 수 있습니다.

3. **앞으로의 계획 설명:** 해당 직무에서 어떤 계획을 가지고 있는지, 어떻게 성장하고 싶은지 설명해보세요. 예를 들어,

"저는 데이터 분석 역량을 더욱 향상시키기 위해 지속적인 학습과 프로젝트에 참여하며, 팀의 성과에 기여하고자 합니다."와 같이 앞으로의 계획을 설명할 수 있습니다.

4. **자신감 표현:** 자신의 역량과 열정을 바탕으로 해당 직무에서 성과를 낼 수 있다는 자신감을 표현해보세요. 예를 들어, "저는 데이터 분석에 대한 열정과 역량을 바탕으로 해당 직무에서 최고의 성과를 내고, 팀의 성공에 기여하고자 합니다."와 같이 자신감을 표현할 수 있습니다.

6 개인적인 이야기 담기

자신의 관심사나 가치관, 성장과정 등을 포함하여 개인적인 이야기를 담아내어 면접관과의 연결을 형성하세요.

1. **관심사나 취미 언급:** 자신의 관심사나 취미에 대해 언급해보세요. 이를 통해 면접관과의 연결점을 찾을 수 있습니다. 예를 들어, "저는 여행과 새로운 문화에 대한 관심이 많습니다. 여행을 통해 다양한 사람들을 만나고 새로운 경험을 쌓는 것을 즐깁니다."와 같이 관심사나 취미를 언급해보세요.

2. 가치관 강조: 자신의 가치관이나 신념에 대해 이야기해 보세요. 이를 통해 자신의 인격과 업무 태도에 대한 이해를 높일 수 있습니다. 예를 들어, "저는 성실함과 책임감을 중요하게 생각합니다. 항상 최선을 다해 업무를 수행하고, 결과에 대해 책임을 지는 것을 원칙으로 삼고 있습니다."와 같이 가치관을 강조해보세요.

3. 성장과정 소개: 자신의 성장과정을 간략하게 소개해보세요. 어떤 경험들이 자신을 성장시켰는지, 어떤 어려움을 극복했는지 등을 언급해보세요. 예를 들어, "어린 시절부터 다양한 도전과 실패를 경험하며 성장했습니다. 이러한 경험들이 저를 더욱 강인하고 적응력이 뛰어난 사람으로 만들어주었습니다."와 같이 성장과정을 소개해보세요.

4. 감사의 마음 표현: 마지막으로, 자기소개서에 감사한 마음을 표현해보세요. 예를 들어, "이렇게 자기소개서를 작성할 기회를 주셔서 감사합니다. 면접을 통해 더 많은 이야기를 나누고 싶습니다."와 같이 감사의 마음을 표현해보세요.

7 회사 연구에 기반하여 작성하기

회사에 대한 연구와 이해를 바탕으로 자신의 역량과 경험을 회사 요구사항에 맞게 연결하여 작성하세요.

1. **회사 조사:** 기업의 산업, 제품 또는 서비스, 미션, 가치관, 문화 등에 대해 조사하세요. 기업의 웹사이트, 뉴스 기사, 연례 보고서 등을 참고할 수 있습니다.

2. **역량 및 경험 식별:** 자신의 역량과 경험을 살펴보고, 기업이 요구하는 역량과 어떻게 일치하는지 확인하세요. 예를 들어, 기업이 창의성을 중요시한다면, 자신의 창의적인 경험에 대해 생각해보세요.

3. **역량-경험 매칭:** 자신의 역량과 경험을 기업의 요구사항과 연결시키세요. 예를 들어, 기업이 데이터 분석을 중요시한다면, 자신의 데이터 분석 역량과 관련된 경험을 강조하세요.

4. **기업에 대한 이해 표현:** 자기소개서에서 기업에 대한 이해를 표현하세요. 기업의 가치관이나 문화에 대한 공감을

나타내고, 기업이 추구하는 목표와 어떻게 일치하는지 설명하세요.

5. **맞춤 작성:** 기업의 요구사항과 자신의 역량 및 경험을 고려하여 자기소개서를 맞춤 작성하세요. 기업이 원하는 인재상과 일치하는 내용을 강조하여 작성하세요.

8 문법 및 맞춤법 확인하기

문법과 맞춤법을 꼼꼼하게 확인하여 자기소개서의 전문성을 높이세요.

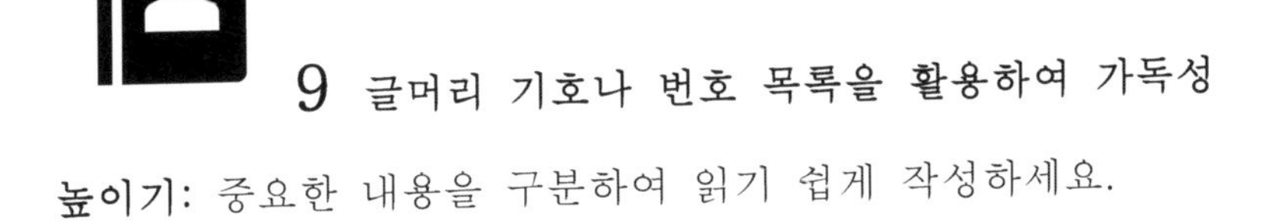

9 글머리 기호나 번호 목록을 활용하여 가독성 높이기:

중요한 내용을 구분하여 읽기 쉽게 작성하세요.

10 최종 검토하기: 자기소개서를 완성한 후에는 최종적으로 검토하여 오타나 오류 없이 완벽한 상태인지 확인하세요.

이러한 방법들을 활용하여 면접관을 사로잡는 자기소개서를 작성해보세요!

기본적인 자기소개서 작성요령(서론, 본론, 결론)

자기소개서를 작성하기 위해서는 몇 가지 요령이 있습니다. (서론, 본론, 결론)

첫째, 서론에서는 자신의 강점이나 독특한 경험을 간략하게 언급하여 면접관의 관심을 끌어야 합니다. 예를 들어, "저는 5개 국어를 구사하는 능력을 가지고 있으며, 이를 바탕으로 다양한 문화와 사람들과 소통하는 것을 즐깁니다."와 같이 시작할 수 있습니다.

서론에서 자신의 강점이나 독특한 경험을 간략하게 언급하여 면접관의 관심을 끌기 위해서는, 다음과 같은 방법을 활용할 수 있습니다:

1. **강점을 강조하는 문장으로 시작하기**: 자신의 강점을 강

조하는 문장으로 시작하여 면접관의 관심을 끌어보세요. 예를 들어, "저는 뛰어난 커뮤니케이션 능력을 가지고 있습니다"와 같이 시작할 수 있습니다.

2. **독특한 경험을 언급하기**: 자신의 독특한 경험을 언급하여 면접관의 관심을 끌어보세요. 예를 들어, "저는 해외 유학 경험을 통해 다양한 문화와 사람들과 소통하는 능력을 키웠습니다"와 같이 시작할 수 있습니다.

3. **문제 해결 능력을 강조하기**: 자신이 어떤 문제를 해결한 경험을 언급하여 면접관의 관심을 끌어보세요. 예를 들어, "저는 이전 직장에서 복잡한 프로젝트를 성공적으로 완료한 경험이 있습니다"와 같이 시작할 수 있습니다.

4. **구체적인 사례와 함께 설명하기**: 자신의 강점이나 독특한 경험을 구체적인 사례와 함께 설명하여 면접관의 이해를 도와보세요. 예를 들어, "저는 이전 직장에서 고객 서비스 팀을 이끌며, 고객 만족도를 20% 이상 향상시킨 경험이 있습니다"와 같이 설명할 수 있습니다.

이러한 방법들을 활용하여 서론에서 자신의 강점이나 독특한 경험을 간략하게 언급하여 면접관의 관심을 끌어보세요.

둘째, 본론에서는 자신의 경험과 역량을 구체적으로 설명하여 면접관에게 자신을 어필해야 합니다. 예를 들어, "대학 시절에는 학생회에서 활동하며 다양한 행사를 기획하고 진행하는 경험을 쌓았습니다. 이를 통해 문제 해결 능력과 리더십을 키울 수 있었습니다."와 같이 자신의 경험과 역량을 구체적으로 설명하면 좋습니다.

본론에서는 자신의 경험과 역량을 구체적으로 설명하여 면접관에게 자신을 어필하기 위해 다음과 같은 방법을 활용할 수 있습니다:

1. **경험과 역량을 구체적인 사례와 함께 설명하기:** 자신의 경험과 역량을 구체적인 사례와 함께 설명하여 면접관이 쉽게 이해할 수 있도록 합니다. 예를 들어, "대학 시절에는 학생회에서 활동하며 다양한 행사를 기획하고 진행하는 경험을 쌓았습니다. 이를 통해 문제 해결 능력과 리더십을 키울 수 있었습니다"와 같이 구체적인 사례와 함께 자신의 경험과 역량을 설명합니다.

2. **역량에 대한 구체적인 설명:** 자신의 역량을 구체적인 사례와 함께 설명하는 것이 좋습니다. 예를 들어, "저는 문제 해결 능력이 뛰어나다는 평가를 받습니다. 이전 직장에서는

어려운 문제를 해결한 경험이 있습니다"와 같이 구체적인 사례와 함께 자신의 역량을 설명합니다.

3. **역량에 대한 구체적인 예시:** 자신의 역량을 구체적인 예시와 함께 설명하여 면접관이 쉽게 이해할 수 있도록 합니다. 예를 들어, "저는 리더십 능력이 뛰어나다는 평가를 받습니다. 이전 직장에서는 팀을 이끌어 프로젝트를 성공적으로 완료한 경험이 있습니다"와 같이 구체적인 예시와 함께 자신의 역량을 설명합니다.

4. **역량에 대한 구체적인 수치:** 자신의 역량을 구체적인 수치와 함께 설명하여 면접관이 쉽게 이해할 수 있도록 합니다. 예를 들어, "저는 문제 해결 능력이 뛰어나다는 평가를 받습니다. 이전 직장에서는 어려운 문제를 해결하여 회사의 매출을 10% 향상시킨 경험이 있습니다"와 같이 구체적인 수치와 함께 자신의 역량을 설명합니다.

이러한 방법들을 활용하여 본론에서 자신의 경험과 역량을 구체적으로 설명하여 면접관에게 자신을 어필할 수 있습니다.

마지막으로, 결론에서는 자신의 포부와 의지를 강조하여 자기소개서를 마무리해야 합니다. 예를 들어, "저는 [회사명]

에서 [직무]로 일하며, [회사명]의 성장에 기여하고 싶습니다. 제 강점과 경험을 바탕으로 최선을 다하여 [회사명]의 발전에 이바지하겠습니다."와 같이 자신의 포부와 의지를 강조하면 좋습니다.

결론 부분에서 자신의 포부와 의지를 강조하여 자기소개서를 마무리하는 방법은 다음과 같습니다:

1. **회사에 대한 열정과 관심 표현**: 회사에 대한 열정과 관심을 표현하여 자기소개서를 마무리할 수 있습니다. 예를 들어, "저는 [회사명]의 혁신적인 제품과 서비스에 큰 관심을 가지고 있으며, [회사명]에서 일하면서 이러한 혁신에 기여하고 싶습니다."와 같이 회사에 대한 열정과 관심을 표현할 수 있습니다.

2. **직무에 대한 열망 강조**: 자신이 지원한 직무에 대한 열망을 강조하여 자기소개서를 마무리할 수 있습니다. 예를 들어, "저는 [직무]로서 [회사명]에서 일하면서, 제 역량을 발휘하여 [회사명]의 성장에 기여하고 싶습니다."와 같이 직무에 대한 열망을 강조할 수 있습니다.

3. **자신의 역량과 경험 활용**: 자신의 역량과 경험을 활용

하여 자기소개서를 마무리할 수 있습니다. 예를 들어, "저는 [회사명]에서 일하면서, 제 역량과 경험을 활용하여 [회사명]의 발전에 기여하고 싶습니다. 저는 [자신의 역량]을 바탕으로 [회사명]의 [분야]에서 성과를 내고 싶습니다."와 같이 자신의 역량과 경험을 활용하여 자기소개서를 마무리할 수 있습니다.

4. **긍정적인 마무리:** 긍정적인 마무리로 자기소개서를 마무리할 수 있습니다.

자기소개서 예시:

스스로 목표를 설정해서 달성해 나가는 과정에서 겪은 어려움과 극복해 낸 방법

[자기소개서 예시]

저는 근무하던 병원에서 임상 실습을 진행한 경험이 있습니다. 목표는 환자들의 통증 관리를 개선하는 것이었는데, 이를 위해 여러 가지 어려움을 겪었습니다.

첫 번째 어려움은 환자들의 통증 정도를 정확하게 평가하는 것이었습니다. 환자들은 통증을 표현하는 방식이 다양하며, 언어적으로 표현하기 어려운 경우도 있었습니다. 이를 극복하기 위해 저는 환자들과의 소통을 강화하고, 비언어적인 신호에도 주의를 기울였습니다. 또한, 통증 평가 척도를 사용하여 환자들의 통증 정도를 정량화 했습니다.

두 번째 어려움은 환자들의 통증에 대한 적절한 대처 방법을 찾는 것이었습니다. 통증의 원인과 환자의 상태에 따라 다양한 대처 방법이 필요했습니다. 이를 위해 저는 의료진들과 협력하여 적절한 약물 치료, 물리 치료, 심리적 지원 등을 제공했습니다. 또한, 환자들과 함께 통증 관리 계획을 수립하고, 그에 따라 조치를 취했습니다.

이러한 어려움들을 극복하기 위해 저는 지속적인 학습과 연구를 통해 최신 통증 관리 방법에 대해 익혔습니다. 또한, 의료진들과의 협업을 통해 다양한 의견을 수렴하고, 최선의 대처 방법을 찾아냈습니다.

이러한 경험을 통해 저는 스스로 목표를 설정하고, 어려움을 극복하며 성과를 이뤄내는 능력을 키웠습니다. [병원명]에서도 이러한 능력을 발휘하여 환자 중심의 의료 서비스를 제공하는 데 기여하고 싶습니다.

[자기소개서 예시]

저는 교수학습지원센터에서 근무할 때 학생들의 학업 성취도를 향상시키기 위한 프로그램을 기획하고 실행하는 업무를 했습니다. 목표는 학생들의 학업 성취도를 20% 향상시키는 것이었는데, 이를 위해 여러 가지 어려움을 겪었습니다.

첫 번째 어려움은 학생들의 참여도를 높이는 것이었습니다. 학생들은 학업에 대한 부담이 크기 때문에, 추가적인 프로그램에 참여하는 것에 대한 거부감을 가지고 있었습니다. 이를 극복하기 위해 저는 학생들의 의견을 수렴하고, 그들이 필요로 하는 프로그램을 개발했습니다. 또한, 학생들의 참여를 유도하기 위해 인센티브를 제공하고, 프로그램의 효과를 명확하게 설명했습니다.

두 번째 어려움은 프로그램의 효과를 측정하는 것이었습니다. 학생들의 학업 성취도를 측정하기 위해서는 정확한 평가 도구가 필요했습니다. 이를 위해 저는 다양한 평가 도구를 조사하고, 학생들의 학업 성취도를 정량적으로 측정할 수 있는 방법을 개발했습니다. 또한, 프로그램의 효과를 측정하기 위해 학생들의 피드백을 수집하고, 프로그램의 개선점을 도출했습니다.

이러한 어려움들을 극복하기 위해 저는 지속적인 노력과 학습을 통해 문제를 해결했습니다. 또한, 학생들의 의견을 수렴하고, 그들의 필요에 맞는 프로그램을 개발하여 참여도를 높였습니다.

이러한 경험을 통해 저는 스스로 목표를 설정하고, 어려움을 극복하며 성과를 이뤄내는 능력을 키웠습니다. [대학교명]에서도 이러한 능력을 발휘하여 [대학교 또는 센터이름]업무에 기여하고 싶습니다.

[자기소개서 예시]

저는 대학교 3학년 때, 자원봉사 단체에서 저소득층 아이들을 위한 교육 프로그램을 기획하고 실행하는 경험을 했습니다. 목표는 저소득층 아이들의 학업 성취도를 향상시키고, 그들에게 긍정적인 영향력을 전달하는 것이었습니다. 이를 위해 여러 가지 어려움을 겪었지만, 저는 이를 극복하기 위해 다음과 같은 방법을 사용했습니다.

첫 번째 어려움은 자원봉사자들과의 원활한 소통이었습니다. 자원봉사자들은 다양한 배경과 경험을 가지고 있었기 때문에, 프로그램의 방향성과 목표에 대한 이해도가 서로 다르게 나타났습니다. 이를 해결하기 위해 저는 정기적인 회의를 통해 자원봉사자들과 의견을 공유하고, 서로의 아이디어를 존중하며 프로그램을 수정해 나갔습니다.

두 번째 어려움은 저소득층 아이들의 참여도였습니다. 저소득층 아이들은 다양한 이유로 학교에 자주 결석하고, 학습에 대한 흥미가 부족한 경우가 많았습니다. 이를 극복하기 위해 저는 아이들과의 친밀한 관계를 형성하고, 학습에 대한 흥미를 유발하는 다양한 활동을 개발했습니다. 또한, 아이들의 강점을 발견하고 그것을 발전시킬 수 있는 기회를 제공했습니다.

이러한 어려움을 극복하기 위해 저는 지속적인 노력과 학습을 통해 문제를 해결했습니다. 또한, 자원봉사자들과 아이들과의 원활한 커뮤니케이션과 협력을 통해 프로그램의 효과를 극대화했습니다.

이러한 경험을 통해 저는 스스로 목표를 설정하고, 어려움을 극복하며 성과를 이루어내는 능력을 키웠습니다.

[회사명]에서도 이러한 능력을 발휘하여 사회적 책임을 다하는 조직에 기여하고 싶습니다.

[자기소개서 예시]

저는 스포츠 과학 연구실에서 연구 보조원으로 일했습니다. 제가 맡은 프로젝트는 운동선수들의 근력 향상을 위한 운동 프로그램의 효과를 조사하는 것이었습니다. 이 프로젝트를 성공적으로 수행하기 위해 저는 스스로 목표를 설정하고, 그에 따라 계획을 세워 나갔습니다.

목표를 달성하기 위해 가장 큰 어려움은 시간 관리였습니다. 연구 보조원으로서 저는 다른 업무들도 동시에 처리해야 했기 때문에, 프로젝트 작업에 충분한 시간을 할애하는 것이 어려웠습니다. 또한, 운동 프로그램의 효과를 정확하게 측정하기 위해 필요한 실험 장비와 도구를 구하는 것도 어려움이었습니다.

이러한 어려움을 극복하기 위해 저는 다음과 같은 방법을 사용했습니다. 첫째, 시간 관리를 위해 일정을 세우고, 프로젝트 작업에 우선순위를 두었습니다. 중요한 작업을 우선적으로 처리하고, 나머지 업무들과 균형을 맞추기 위해 노력했습니다. 둘째, 실험 장비와 도구를 구하기 위해 다양한 연구실과 협력하고, 필요한 자원을 확보하기 위해 노력했습니다.

이를 위해 다른 연구자들과의 네트워킹을 적극적으로 활용했습니다.

이러한 노력과 계획을 통해 저는 프로젝트를 성공적으로 수행할 수 있었습니다. 운동 프로그램의 효과를 조사하고, 운동선수들의 근력 향상에 도움이 되는 결과를 도출해냈습니다. 이 경험을 통해 목표를 달성하기 위해 어려움을 극복하는 능력을 키웠으며, [회사명]에서도 이러한 능력을 발휘하여 성과를 이루어내고 싶습니다.